AF497299

AGRADECIMIENTO

Cumplo muy gustoso con el deber de agradecer á las distinguidas y amables personas que me ayudaron directa ó indirectamente en la publicación del MAPA HISTÓRICO, *sea con preciosas indicaciones históricas ó topográficas, sea con provechosos consejos, ó con brindarme sus bibliotecas para la consulta de obras raras ó inéditas, ya sea dignándose examinar mi trabajo y alentarme con sus competentes juicios á publicarlo.*

He aquí sus nombres:

Señor don JUAN L. CUESTAS, Presidente del H. Senado (actualmente Presidente Provisional de la República).

General don *Luis E. Pérez* (ex Ministro de Guerra y Marina).

Señor don *Juan José Castro* (ex Ministro de Fomento).

Senador doctor don *Francisco Bauzá.*

    »   »   » *Carlos M. Ramírez.*

Señor don *Isidoro De-María.*

Doctor don *Luis Melián Lafinur.*

    »   » *Luis Romeu Burgués.*

    »   » *Víctor Pérez Petit.*

Bachiller don *Carlos Martínez Vigil* (Vocal de la Dirección General de Instrucción Pública).

Señor don *Antonio N. Pereira.*
Inspector don *Julián O. Miranda*
    »   »   *Benjamín Sierra y Sierra.*
Profesor don *Orestes Araújo* (ex Inspector de I. P.).
    »   »   *Luis D. Desteffanis.*
    »   »   *Albino Benedetti.*
Señor don *Luis Carve.*
    »   »   *Carlos Sanquírico.*
    »   »   *E. M. Antuña.*
Señores *Dornaleche y Reyes,* Editores.
Señor don *A. Lagomarsino.*
Redacción de *El Día.*
    »   »   *El Siglo.*
    »   »   *Revista Nacional de Literatura y Ciencias*
                Sociales.
    »   »   *La Razón.*
    »   »   *La Tribuna Popular.*
    »   »   *L'Italia al Plata.*
    »   »   *La España.*
    »   »   *La Nación.*

Pido de antemano disculpa á los olvidados en esta nó-mina, asegurándoles que si aquí no aparecen sus nombres, no es por falta de voluntad, sino de memoria.

L. Ambruzzi.

OBRAS CONSULTADAS

PARA LA COMPILACIÓN DEL «MAPA HISTÓRICO» Y DE LAS
«EFEMÉRIDES»

Acevedo Díaz (Eduardo). — Grito de Gloria.

Alonso Criado (Matías). — Colección Legislativa de la República Oriental del Uruguay.

Anónimo. — Memoria de los sucesos de armas en la guerra de la Independencia, etc. *(Biblioteca del « Comercio del Plata»).*

— Compilación de documentos históricos: Paso de Quinteros.

Antuña (E. M.). — Paso del Rey y San José.

Araucho de Moraes Lara (Diego). — Campaña de 1816-17 *(Revista Trimensal do Instituto Geographico Historico do Brazil).*

Araújo (Orestes). — Geografía Nacional de la República Oriental del Uruguay.

— Efemérides Uruguayas.

— La batalla de Sarandí.

— Episodios Históricos.

— Diccionario Geográfico del Uruguay (1.er cuaderno).

Aróztegui (Abdón). — La Revolución de 1870.

Arreguine (Víctor). — Historia del Uruguay.

— Narraciones Nacionales.

— La revolución Oriental de 1886.

Azara (Félix). — Descripción é Historia del Paraguay y del Río de la Plata.

Bauzá (Francisco). — Historia de la dominación española en el Uruguay.

Berra (Francisco A.). — Bosquejo Histórico de la República del Uruguay.

Bollo (L. C.). — Atlas Geográfico y Descripción Estadística de la República O. del Uruguay.

Bollo (Santiago). — Manual de Historia de la República O. del Uruguay.

Conte. — La Cruzada Libertadora.

Cossio (Domingo). — La defensa del Salto, 1845 - 1847.

Costa (Ángel Floro). — Nirvana.

Cuestas (Juan Lindolfo). — Los tiempos heroicos: « El Cerro de Montevideo ».

— Páginas sueltas.

De Angelis (Pedro). — Colección de obras y documentos relativos á la historia antigua y moderna de las Provincias del Río de la Plata.

De la Sota (Manuel). — Historia del territorio Oriental del Uruguay.

— Catecismo Geográfico - político-histórico de la República Oriental del Uruguay.

De-María (Isidoro). — Rasgos biográficos de hombres notables de la República Oriental del Uruguay.

— Compendio de Historia de la R. O. del Uruguay.

— Anales de la Defensa de Montevideo.

— Geografía Elemental de la República Oriental del Uruguay.

— Catecismo Geográfico de la R. O. del Uruguay.

— Páginas Históricas.

De Pascual (P.). — Apuntes para la Historia de la República Oriental del Uruguay.

Devincenzi (Elías). — Ligeros apuntes sobre el Departamento de Maldonado.

Díaz (Antonio). — Historia política y militar de las Repúblicas del Plata.

Díaz (César). — Memorias inéditas.

Domínguez (Luis L.). — Historia Argentina.

Dufort y Álvarez. — La invasión de Echagüe.

Escardó (Florencio). — Reseña Histórica, Estadística y Descriptiva con tradiciones orales de las Repúblicas Argentina y Oriental.

Figueira (J. H.). — Los primitivos habitantes del Uruguay.

Frejeiro (Clemente L.). — Artigas.

Gay (J. P.). — Historia de la República Jesuítica del Paraguay.

Giménez Pastor (A.). — La revolución de 1897.

Guevara. — Historia del Paraguay, Río de la Plata y Tucumán.

Lacasa (Pedro). — Vida militar y política del general Lavalle.

Lamas (Andrés). — Colección de Memorias y documentos, etc. (*Biblioteca del Comercio del Plata*).

— Apuntes históricos sobre las agresiones de Rosas.

— Colección de Obras, Documentos y Noticias, etc. (*Biblioteca del Río de la Plata*).

Latzina (F.). — Geografía Argentina.

Lecueder (Carlos). — Memoria de la Jefatura Política y de Policía del Departamento de Artigas.

López (V. F.). — Historia de la Confederación Argentina.

— Revolución del Río de la Plata.

Lozano (P. Pedro). — Conquista del Paraguay, Río de la Plata y Tucumán. (*Biblioteca del Río de la Plata*).

Maeso (Justo). — El General Artigas y su época.

Maeso (Carlos M.). — Glorias Uruguayas.

Madero (Eduardo). — Historia del puerto de Buenos Aires.

Melián Lafinur (Luis). — De paso por el fuerte de Santa Teresa.

Miranda (Julián O.). — Apuntes sobre Historia de la República Oriental del Uruguay.

Mitre (Bartolomé). — Historia de Belgrano.

Núñez (Ignacio). — Noticias Históricas de la República Argentina.

— Efemérides Americanas. (2.ª Parte de las *Noticias Históricas*).

Ordoñana (Domingo). — Conferencias Sociales y Económicas de la República Oriental del Uruguay.

Pelliza. — Historia Argentina.

Pereda (Setembrino E.). — Paysandú y sus progresos.

Pereira (Antonio N.) — Memoria de la Administración del señor don Gabriel A. Pereira.

Pérez Martínez (Ruperto). — Los límites de la República Oriental del Uruguay.

Ramírez (C. M.). — Artigas.

Revuelta (Luis). — La Gloriosa Cruzada de los 33.

Reyes (J. M.). — Descripción de la R. O. del Uruguay.

Rivera (Fructuoso). — Apuntes para la Biografía militar del General Rivera (Ms.).

Roldós y Pons (Jaime). — Diccionario Geográfico de la República O. del Uruguay.

Rosa (Alejandro). — Estudios Numismáticos.

Rui Díaz de Guzmán. — Historia Argentina.

Saldías (Adolfo). — Rozas y su época.

Sierra y Sierra (Benjamín). — Apuntes para la Geografía del Departamento de Rocha.

Silveira (Brígido). — Anotaciones Históricas.

Varios. — Álbum de la República Oriental del Uruguay compuesto para la Exposición Continental de Buenos Aires, bajo la dirección de los señores F. A. Berra, Agustín de Vedia y Carlos M. de Pena.

— Manuscritos Históricos del Uruguay (1776-1882).

— Rivera (Número Único).

Vollo (Ettore). — Un mese di rivoluzione: ricordi di un volontario nel tentativo insurrezionale uruguajo del Marzo 1886.

Zinny. — Historia de la prensa periódica en el Uruguay.

MAPAS

Mapa de la República Oriental del Uruguay por el General de Ingenieros don José M. Reyes.

Mapa de la República Oriental del Uruguay (Escuela de Artes y Oficios, Montevideo).

Mapa de la República Oriental del Uruguay, por don G Monegal.

Terrenos devolutos da provincia de San Pedro do Rio Grande do Sul.

Ministerio de Fomento. — Red general de los Ferrocarriles de la República O. del Uruguay (1897).

Croquis del desembarco de los 33, por el doctor don Francisco A. Berra.

Atlas, por don V. Martín de Moussy. *(Description Géographique de la Confédération Argentine).*

Carta Topográfica de Paysandú, por don M. S. Galán.

Departamento de Rocha, por don Benjamín Sierra y Sierra.

Departamento de Canelones, por don Pío García (inédito).

DIARIOS Y REVISTAS

El Liberal (Buenos Aires, 1828).

El Universal (1836).

El Ferro-Carril (1875).

La Nación.

El Comercio del Plata.

El Siglo.

El Pueblo.

El Republicano (1836).

La Época.

El Censor Argentino (1834).

Boletín del Ejército Republicano (1827-1828).

El Nacional (1843).

El Archivo Americano (1846).

El Defensor de la Independencia.

El Constitucional.

La Gaceta Mercantil (Buenos Aires, 1845).

El Tiempo (Buenos Aires, 1828).

Revista Trimensal do Instituto Historico-Geographico e Ethnographico do Brazil.

La Razón.

El Defensor de las Leyes (1837).

Revista de la Sociedad Universitaria de Montevideo.

EFEMÉRIDES

RELATIVAS AL MAPA HISTÓRICO

DE LA

REPÚBLICA O. DEL URUGUAY

1—Aceguá—8 de Julio de 1897.—Combate entre las fuerzas revolucionarias nacionalistas mandadas por el general don Aparicio Saravia y las del Gobierno al mando del general don Justino Muniz. Víctima de su arrojo, cae muerto, entre otros valientes, el coronel Imas de la revolución. — (CERRO-LARGO.)

2—Agraciada—19 de Abril de 1825.—Los gloriosos *Treinta y Tres Orientales*, al mando de don Juan Antonio Lavalleja, desembarcan en el arroyo de los *Ruices* (ahora de *Gutiérrez*), playa de la Agraciada, y empiezan la heroica cruzada contra la dominación brasilera. — (SORIANO.)

3—Águila—4 de Septiembre de 1825.—Rivera es derrotado por una división brasilera mandada por Bentos Manuel Ribeiro.—(SORIANO.)

4 — **Arapey** — 3 de Enero de 1817.—Estando Artigas acampado en el Potrero del Arapey, es sorprendido y derrotado por el jefe brasilero Abreu, y se retira luego á la Purificación. —(SALTO.)

5 — **Arbolito** — 19 de Marzo de 1897. —Reñido combate entre los revolucionarios nacionalistas mandados por el general don Aparicio Saravia, y las tropas del Gobierno mandadas por el general don Justino Muniz. Muere en él valerosamente don Antonio Florencio *(Chiquito)* Saravia, hermano del comandante en jefe de los revolucionarios; quien, después de esta pérdida, ordena la retirada. —(CERRO-LARGO.)

6 — **Arroyo de la China** — *(Concepción del Uruguay).* —24 de Marzo de 1814. —En el río Uruguay, frente á Concepción, el marino español Romarate derrota la escuadrilla argentina mandada por el almirante Brown.

—19 de Mayo de 1818. —Bentos Manuel Ribeiro, tomada la batería artiguista, que el 2 de este mes, en el paso de Vera, había hostilizado la escuadrilla portuguesa, asalta el pueblo del Arroyo de la China, defendido por Ramírez, y se apodera de él, entregándolo al saqueo. —(R. ARGENTINA.)

7 — **Arroyo Grande** — 6 de Diciembre de 1842. —Batalla entre los generales don Manuel Oribe y don Fructuoso Rivera. Éste es derrotado y repasa el Uruguay. —(R. ARGENTINA.)

8 — **Asencio** — 28 de Febrero de 1811. —Pedro José Viera (a) *Perico el Bailarín,* brasilero, y Venancio Benavídez, cabo de milicias, reunidos con unos cien compañeros en el paso de Denís, estancia de Almagro, sobre el arroyo Asencio, proclaman su adhesión á la revolución de Mayo contra la dominación española. Este hecho se conoce en la historia con el nombre de *Grito de Asencio.* —(SORIANO.)

9 — Bacacay — 13 de Febrero de 1827. — El general argentino Lavalle derrota un cuerpo de caballería brasilera al mando de Bentos Gonçalves. — (BRASIL.)

10 — Bagé — 23 de Enero de 1827. — Invadido por el ejército republicano el Brasil, don J. A. Lavalleja con 100 hombres se apodera de Bagé, saqueando los depósitos del ejército enemigo.

— 13 de Abril de 1827. — Iniciada la segunda campaña de Alvear contra el Brasil, el ejército republicano, salido el 10 de Abril de su campamento en Corrales, entra por segunda vez en Bagé. — (BRASIL.)

11 — Belén — Marzo de 1811. — El pueblo, con su comandante militar don Francisco Redruello, se adhiere á la causa de la revolución contra el poder español.

— 17 de Enero de 1840. — El general argentino López saquea el pueblo y destruye por el fuego la escuadrilla de Rivera fondeada allí. — (SALTO.)

12 — Buceo — 18 de Enero de 1807. — Desembarcan en el Buceo los ingleses, quienes, vencida la débil resistencia opuesta este día y el siguiente por el virrey Sobremonte, avanzan sobre Montevideo.

— 14-17 de Mayo de 1814. — La escuadra española, organizada por Vigodet y mandada por don Manuel Sierra, se encuentra en las aguas del Buceo con la argentina mandada por Brown. El combate dura cuatro días y concluye con la completa derrota de Sierra. Brown sale con una pierna fracturada por una bala de cañón.

— 31 de Octubre de 1843. — El general Paz se apodera del puerto del Buceo, ocupado por fuerzas de Oribe.

— 20 de Agosto de 1844. — Garibaldi sorprende de noche al bergantín *Josefina,* llegado de Buenos Aires con carga de víveres para el ejército de Oribe; se apodera de él á corta distancia de la goleta argentina *9 de Julio*, y regresando con el botín á Montevideo, captura también la goleta *Juanito*, que tenía igual destino que el *Josefina*. — (MONTEVIDEO.)

13 — Buenos Aires — 27 de Diciembre de 1536. — Los indios querandíes, en número de 23,000, cercan á la recién fundada ciudad, y con flechas encendidas le pegan fuego; del mismo modo queman cuatro buques del Adelantado don Pedro de Mendoza, fondeados allí cerca.

— 1541. — Á mediados de este año, por la imposibilidad de hacer frente á las hostilidades de los indios, la ciudad, por orden de Irala, es despoblada y quemada, yendo sus moradores á la Asunción del Paraguay. Había sido fundada por don Pedro de Mendoza en Marzo de 1536, con el nombre de *Puerto de Santa María de Buenos Aires*, media legua arriba de la embocadura del Riachuelo.

— 11 de Junio de 1580. — Juan de Garay funda por segunda vez la ciudad de Buenos Aires, bajo la advocación de la S. Trinidad.

— 27 de Junio de 1806. — Los ingleses invasores, al mando de Berresford, entran en Buenos Aires sin encontrar resistencia, habiendo huido cobardemente el virrey Sobremonte, que no había sabido organizar la defensa de una ciudad de 45,000 almas contra 1,600 hombres. — *(Véase el núm. 101.)*

— 12 de Agosto de 1806. — La expedición salida de Montevideo al mando de Liniers, después de reñido combate en las calles de la ciudad, derrota á los ingleses y reconquista á Buenos Aires. El rey de España declara á Montevideo «muy fiel y reconquistadora», y modifica su escudo de armas. *(Véase el Mapa).*

—5 y 6 de Julio de 1807.—Las tropas inglesas, al mando
de Whitelocke, habiendo derrotado el día 2, en el Mi-
serere, á Liniers, asaltan á Buenos Aires, cuya defensa,
organizada con extraordinaria habilidad por el alcalde
don Martín de Álzaga, es dirigida por Liniers mismo,
vuelto á la ciudad el día 3. Después de encarnizado
combate en las calles, Liniers obliga á los ingleses á
capitular, incluyéndose en el tratado también la eva-
cuación de Montevideo.

—22 de Mayo de 1810.—La asamblea popular declara
caducada la autoridad del virrey español y delega en
el Cabildo la facultad de nombrar una Junta de Gobierno. Esta deliberación, á pedido del pueblo, es publi-
cada el día siguiente.

—25 de Mayo de 1810.—*(Fiesta cívica)*.—El pueblo impone al Cabildo la deposición del virrey Hidalgo de
Cisneros y el nombramiento de la Junta de Gobierno
presidida por don Cornelio Saavedra, lo que se efectúa,
iniciándose así la Independencia del Río de la Plata.

—15 de Julio de 1811.—Cinco buques españoles mandados por Michelena, llegan al puerto por la noche y
bombardean la ciudad, disparando sobre ella 31 bom-
bas y 3 balas rasas. El día siguiente el español intima
á la Junta de gobierno que levante el asedio de Montevideo; pero, habiendo la Junta contestado guarneciendo
la ribera con gruesa artillería, Michelena se retira.

—11 de Junio y 30 de Julio de 1826.—Combates navales
frente á Buenos Aires entre la escuadra de Brown y la
brasilera.

14—**Caaguazú**—28 de Noviembre de 1841.—El general
Paz destruye en el Paso de Caaguazú al ejército fede-
ralista de Echagüe, lo que decide al general F. Rivera
á pasar á Entre-Ríos.—(R. ARGENTINA.)

15—**Cabo de Santa María**—1.º de Febrero de 1516.—
Dobla este cabo la expedición de don Juan Díaz de Solís, descubridor del Río de la Plata.

—10 de Enero de 1520.—En la noche del 9 al 10, Magallanes fondea cerca de este cabo.

—21 de Febrero de 1527.—Sebastián Gaboto llega con
su expedición á este punto.—(ROCHA.)

16—**Cagancha**—29 de Diciembre de 1839.—El general
don F. Rivera vence en los campos de Callorda, margen
izquierda del arroyo Cagancha, al ejército rosista, fuerte
de 5,000 hombres, mandado por el general don Pascual
Echagüe, que había invadido la República del Uruguay
el 2 de Agosto, á consecuencia de la declaración de
guerra hecha el 10 de Marzo por el gobierno de Rivera
á Rosas, gobernador de la provincia de Buenos Aires.

—16 de Enero de 1858.—Batalla entre los revolucionarios mandados por el general don César Díaz y las
fuerzas del Gobierno al mando del general don Lucas
Moreno.—(SAN JOSÉ.)

17—**Calera de las Huérfanas**—9 de Abril de 1811.—
D. José Gervasio Artigas, procedente de Buenos Aires,
desembarca en tierra uruguaya, para encabezar aquí el
movimiento patriótico ya iniciado.—(Véase *Asencio.*)—
(COLONIA.)

18—**Camacuá**—23 de Abril de 1827.—Triunfo del ejército republicano sobre el brasilero. El general Alvear,
teniendo á sus órdenes las divisiones de Lavalle, Zufriategui, M. Oribe, J. A. Lavalleja y Jorge Pacheco,
abre su segunda campaña contra el Brasil, y después
de apoderarse de Bagé, vence en Camacuá Chico un
cuerpo de 1,600 jinetes mandados por Barreto, Bentos
Manuel y Bentos Gonçalves; retirándose poco después
á Cerro-Largo, donde establece sus cuarteles de invierno.
En esta acción se distinguen mucho los orientales.

19 — **Canelones** — *(Guadalupe).* — 18 de Agosto de 1781.
— Nace el ilustre patriota don Joaquín Suárez, á quien
la patria levanta un monumento en la Plaza *Indepen-*
dencia de Montevideo el 18 de Julio de 1896. — (Murió
el 26 de Diciembre de 1868.)

— 1807. — Durante la dominación inglesa, Auchmuty
manda una columna de 2,000 hombres á conquistar á
Canelones; pero las caballerías de los patriotas la hacen regresar deshecha, poco tiempo después de ocupar
la villa.

— 20 de Abril de 1813. — Artigas instala aquí el gobierno
municipal, que funciona siendo vicepresidente don
Bruno Méndez.

— 3 de Mayo de 1825. — Entrada en esta villa de los heroicos *Treinta y tres* y sus compañeros de armas.

— 17 de Julio de 1826. — Se dispone la traslación á esta
villa de la Sala de Representantes, que residía en San
José.

— 2 de Diciembre de 1828. — Los poderes públicos son
trasladados, por voto de la Asamblea, de San José á Canelones, donde el 22 llega Rondeau, y se hace cargo
del mando supremo del Estado, según el voto nacional.

— 23 de Enero de 1838. — El general don F. Rivera, en
lucha contra el gobierno de don M. Oribe, ocupa la
villa, imponiendo contribuciones.

20 — **Cañas** — 25 de Julio de 1863. — Combate entre las
tropas revolucionarias del general don V. Flores, y las
del Gobierno mandadas por el general don Diego Lamas, quien se retira en derrota á Constitución, donde
pasa el Uruguay. — (SALTO.)

21 — **Captura de Lavalleja** — Febrero de 1818. — Don
Juan A. Lavalleja, acampado en Guaviyú con la van-

guardia de Artigas, avanza con pocos soldados hasta las puntas del Valentín, y queda prisionero de los portugueses, que lo envían á Río Janeiro. El esforzado patriota sufre tres años de cautiverio en la *Isla das cobras*, junto con otros patriotas, y con su señora y su hermana. —(SALTO.)

22 — Carmelo — *(Las Vacas).* — 23 de Junio de 1825. — El teniente don Tomás Gómez, con sólo 25 hombres, vence en las cercanías de Las Vacas á unos 150 brasileros.

— 12 de Marzo de 1834. — Desembarcado Lavalleja en Punta Gorda y ocupado Higueritas, el mismo día despacha á su hermano don Manuel con 50 hombres á Mercedes, y él entra en Las Vacas, aclamado por el vecindario.

— 13 de Mayo de 1846. — Rivera desembarca en este pueblo y lo ocupa sin combate, habiéndose retirado á las Víboras las tropas que lo guarnecían.

— 3 de Febrero de 1847. — El capitán don Eusebio Carrasco se apodera de este pueblo.

23 — Carpintería — 19 de Septiembre de 1836. — Combate entre las tropas del Gobierno al mando del general don Ignacio Oribe y las del general don F. Rivera, sublevado contra el gobierno del general don Manuel Oribe. Después de este combate, Rivera se interna en el Brasil y queda concluída esta campaña. —(DURAZNO.)

24 — Casa Blanca — 11 de Febrero de 1811. — El cura párroco de Paysandú, don Silverio Antonio Martínez, y varios patriotas se reunen en la *Casa Blanca,* á 15 km. de la ciudad, para conspirar contra España. Sorprendidos por el capitán de navío Michelena, después de ligera resistencia, son todos aprehendidos, menos don Francisco Bicudo que logra huir, y don Saturnino Del Cerro, quien, herido, se ahoga en el río. — (PAYSANDÚ.)

25 — **Castillos** — 25 de Mayo de 1720. — Por orden del gobernador Zabala, el corsario francés Estanislao Moreau, vencido en 1717 por el capitán Blas de Lezo, desalojado de Maldonado por el capitán Echaurri, es finalmente vencido y muerto por el capitán don Antonio Pando en Castillos Grandes, donde se había establecido levantando un fortín, para dedicarse á sus anchas al acopio de corambre aprovechando los animales del fisco, sin dejar de desbalijar los buques mércantes que pasaban por allí. — (ROCHA.)

26. — **Catalán** — 4 de Enero de 1817. — Gloriosa derrota de los orientales, quienes, en número de 3,400, luchan todo el día contra los portugueses de Curado, muy superiores en número, y dejan en el campo mil compañeros muertos ó heridos. — (ARTIGAS.)

27 — **Ceibal** — 31 de Diciembre de 1843. — El coronel don Lucas Moreno, oribista, derrota una fuerza correntina de mil plazas, al mando del general Ramírez *Chico,* ocasionándole 250 bajas.

— 20 de Mayo de 1846. — Combate ganado por Garibaldi contra las fuerzas de Lamas, que sitiaban al Salto. — (SALTO.)

28 — **Cerrito** — 21 de Mayo de 1811. — Artigas, vencedor el 18 en Las Piedras, llega al Cerrito y establece el sitio de la plaza de Montevideo, ocupada por los españoles.

— 1.º de Junio de 1811. — El general Rondeau, salido el 24 de Mayo de Mercedes, llega con su división y toma el mando en jefe de las fuerzas sitiadoras.

— 1.º de Octubre de 1812. — Aparece en el Cerrito, enarbolando por primera vez la flamante bandera argentina, el patriota Juan Eugenio Culta, quien con 350 jinetes tiene en jaque á la guarnición de Montevideo por 20 días, hasta la llegada del ejército de Rondeau, que fué el 20 de este mes, empezándose así el segundo sitio de Montevideo.

—31 de Diciembre de 1812.—Reñida batalla entre las tropas españolas salidas de Montevideo en número de poco menos que 2,000 hombres, al mando de Vigodet, y el ejército patriota sitiador mandado por Rondeau. Después de encarnizada lucha, en la disputada cumbre del Cerrito, donde en este día por dos veces había flameado la bandera española, se clava triunfante el pabellón de los independientes. En la lucha cae muerto el brigadier español Muesas y prisionero el patriota B. Vargas. Desde ese día el lugar del combate se llama *Cerrito de la Victoria.*

—21 de Febrero de 1813.—Un motín militar organizado por Rondeau y don Domingo French, de acuerdo con Artigas, depone del mando del sitio de Montevideo á Sarratea, llegado poco antes. Á consecuencia de este hecho, Artigas, que desde su campamento del Ayuí se había trasladado con 3,600 hombres en el Paso de la Arena (Santa Lucía Chico), se incorpora á los sitiadores el 26 de este mismo mes.

—20 de Enero de 1814.—Desavenido con el gobierno de Buenos Aires y con Rondeau, en la noche del 20 de Enero, Artigas con sus fuerzas abandona el sitio, yendo á campar en la Calera de García y después en Belén, mientras el Directorio de Buenos Aires le declara traidor y le condena á muerte.

—7 de Mayo de 1825.—Lavalleja llega con el pequeño ejército patriota al Cerrito, donde hace flamear la bandera de los *Treinta y Tres,* y establece el sitio de la plaza de Montevideo, defendida por 5,000 brasileros. Se retira luego dejando la dirección del asedio al mayor Isasa (a) *Calderón* y á don M. Oribe.

—16 de Febrero de 1843.—El general don Manuel Oribe establece su cuartel general en el Cerrito, empezando el largo asedio de Montevideo, que dura hasta el 8 de Octubre de 1851.

—17 de Octubre de 1864.—El jefe de la Cruzada Libertadora, general don Venancio Flores, llega con su ejército al Cerrito de la Victoria.—(MONTEVIDEO.)

29—Cerro—Enero de 1520.—Uno de los tripulantes de la expedición mandada por Magallanes, descubriendo esta elevación, lanza el grito que dió origen al nombre de Montevideo: *Monte vide eu..*

—28 de Octubre de 1806.—El almirante inglés Popham intenta un desembarco en la costa del Cerro y es rechazado.

—9 de Febrero de 1826.—Trescientos brasileros, salidos del Cerro, son derrotados en el Pantanoso por los patriotas mandados por don Manuel Oribe.

—9 de Junio de 1843.—Las fuerzas sitiadas en Montevideo hacen una salida al mando del general don Rufino Bauzá; y llevando además á su frente al Ministro de la Guerra, coronel Pacheco y Obes, á los coroneles Garibaldi, don Felipe López, San Vicente, y al comandante don Lorenzo Batlle, traban cerca del Cerro un reñido combate con los sitiadores, mandados por el general Núñez y el coronel Montoro, que son derrotados.

—17 de Febrero de 1844.—Aparecen en la zona del Cerro, con gente armada y conduciendo prisioneros, hacienda y caballos, los coroneles don Venancio Flores, Estivao y Centurión, que se ponen á las órdenes del Gobierno de la Defensa, tomando el primero la dirección de todas las fuerzas del Cerro.

—28 de Marzo de 1844.—El ejército oribista, al mando del general don Ángel Núñez, abre operaciones sobre el Cerro, constante objetivo de los sitiadores. El Ministro don Melchor Pacheco y Obes, desde el Cerro, dirige la defensa de esta importante posición; y la, tropas mandadas por Garibaldi, Estivao, López, Cáceres, don Manuel Pacheco, Tajes, don César Díaz, Solsona y Mesa, bajo las órdenes inmediatas del coronel don Venancio Flores, derrotan cerca del Pantanoso á Núñez, quedando mortalmente herido este mismo valeroso general.

—24 de Abril de 1844.—Combate sangriento en el *Paso de la boyàda*, entre los generales Oribe y Paz. Éste se retira hacia el Cerro.

—12 de Diciembre de 1844.—Ejecución del vigía Antonio Crespo, quien, de acuerdo con los sitiadores, debía hacer volar la fortaleza. Sus cómplices, condenados también á muerte, tuvieron conmutada la pena en la del destierro.

—6 de Enero de 1858.—El general don César Díaz desembarca en el saladero Lafone, con pocos hombres, empezando la revolución que termina tan trágicamente en Quinteros.

—29 de Noviembre de 1870.—El cuerpo de catalanes que servía en el ejército de don Timoteo Aparicio, se posesiona por sorpresa de la fortaleza del Cerro.—(MONTEVIDEO.)

30 — Cerro Colorado—16 de Abril de 1897.—Combate entre los revolucionarios mandados por el general don Aparicio Saravia, y las tropas del Gobierno al mando del general don Melitón Muñoz, siendo jefe de vanguardia el jefe político de la Florida, coronel don Rufino T. Domínguez. Después de 5 horas de tiroteo entre las vanguardias, Saravia se retira en orden hacia Illescas.—(FLORIDA.)

31—Cerros Blancos—14 de Mayo de 1897.—Combate
sangriento entre 3,600 revolucionarios al mando del general Saravia, y las tropas gubernistas en número de
6,000 hombres al mando del general Villar, quedando
herido en el brazo derecho el coronel Lamas, jefe de
Estado mayor del ejército revolucionario, y muerto el
viejo caudillo don Fortunato Jara, coronel de la revolución.—(RIVERA.)

32—Colonia del Sacramento—1.º de Enero de 1680.
—El gobernador de Río Janeiro, don Manuel de Lobos, llega á la margen septentrional del Río de la **Plata**
y funda la ciudad de la Colonia, fortificándola.

—7 de Agosto de 1680.—Vera Mujica, por orden del gobernador J. del Garro, con 300 españoles y 3,000 gua-
raníes, toma por asalto la Colonia, haciendo prisionera
la guarnición portuguesa con su jefe Lobos.

—Febrero de 1683.—El gobernador José de Herrera,
cumpliendo con las instrucciones del gobierno español,
y en virtud del tratado del 7 de Mayo de 1681, de-
vuelve á los portugueses la Colonia.

—18 de Octubre de 1704.—Por orden del gobernador
don Alfonso Valdez Inclán, el mayor García Ros pone
sitio á la Colonia, defendida por el portugués Veiga Cabral, quien, en Marzo de 1705, entrega la plaza á los
españoles. Vuelve ésta á poder de Portugal el 11 de
Noviembre de 1716, en virtud del tratado de Utrech,
celebrado el año anterior.

—Octubre de 1735.—El gobernador Salcedo pone sitio
á la plaza defendida por Vasconcelhos. El armisticio
de 1737 pone fin á las hostilidades.

—3 de Septiembre de 1762.—El gobernador don Pedro
de Ceballos desembarca cerca de la Colonia para si-
tiarla, y establece su cuartel general en el Real de San

Carlos, rompiendo el fuego el 5 de Octubre siguiente, después de haber construído sus baterías y trincheras sin ser molestado por el inepto comandante de la plaza, Silva da Fonseca.

—2 de Noviembre de 1762.—Salida con los honores de guerra la guarnición portuguesa, entra triunfalmente en la plaza don Pedro de Ceballos.

—6-9 de Enero de 1763.—Se presenta frente á la Colonia una escuadra anglo-portuguesa al mando de Macnamara. Don Pedro de Ceballos se defiende tan bien, que el enemigo se retira, después de perder incendiada su nave capitana *Lord Clive*, y de perecer ahogado el jefe de la expedición. Por el tratado de París (1.º de Febrero de 1763), la Colonia es devuelta á los portugueses.

—22 de Mayo de 1777.—D. Pedro de Ceballos, nombrado 1.er virrey del Río de la Plata, desembarca en el *Molino*, frente á la Colonia, y emprende un nuevo sitio de esta plaza, defendida por el gobernador portugués J. da Rocha, quien capitula el 3 de Junio.

—8 de Junio de 1777.—Entrado Ceballos en la Colonia, empieza en este día la desatinada demolición de esta importante plaza, para que no siguiera más siendo causa de discordia entre España y Portugal. Queda la ciudad reducida á las proporciones de un pueblito, que va aumentando poco á poco, siendo más tarde fortificado por los españoles. Las corrientes despejan el puerto, que Ceballos había querido también destruir, cegándolo con los escombros de los edificios demolidos.

—Abril de 1807.—Dueños los ingleses de la Colonia, Elío, recién llegado de España con el título de comandante general de la campaña, llega de Buenos Aires con 1,500 soldados y toma la plaza por sorpresa; pero es rechazado por el coronel Pack, y vuelve á Buenos Aires el 7 de Mayo.

—2 de Febrero de 1811.—Enojado Artigas con su jefe el brigadier Muesas, que le había llamado á la Colonia para hacerle sentir el peso de su autoridad, abandona para siempre su puesto de capitán de blandengues y el servicio de España, y entrada la noche de este día huye á Buenos Aires en un barquichuelo con su teniente don Rafael Hortiguera y el cura del pueblo, doctor don José M. Enríquez Peña, siendo ésta la señal de la revolución en la Banda Oriental.

—27 de Mayo de 1811.—El general Vigodet abandona á los patriotas la Colonia, sitiada por Benavídez, después de haber inutilizado la artillería y las municiones.

—1817.—El coronel don Pedro Norberto Fuentes, jefe del departamento, entrega la plaza al jefe de una escuadrilla portuguesa, que surcaba el Río de la Plata, sometiéndose así á Lecor.

—Junio de 1818.—Lecor, después de la derrota de Pichinango *(Véase el núm. 95)*, manda á la Colonia un refuerzo de 1,000 hombres á las órdenes del general Pintos, quien recorre la campaña, y en San José y Canelones aprisiona á varias distinguidas señoras.

—25 de Febrero de 1826.—Combate naval frente á la Colonia entre la escuadra brasilera y la de Brown, quien destruye el fuerte de Santa Rita é inutiliza el bergantín *Real Pedro*, perdiendo por su parte el *Belgrano* y al comandante del *Balcarce*. Sigue Brown bombardeando la plaza hasta el 2 de Marzo; pero al cabo el almirante Lobo le obliga á retirarse el 13 de este mismo mes.

—11 de Marzo de 1826.—Llega á la Colonia el general Lavalleja con 600 hombres para reforzar el sitio que mantenía un grupo de patriotas al mando de Arenas. (El asedio había empezado en Mayo del año anterior. Primer jefe del sitio fué el comandante Queirós, pero á mediados de Julio de 1825 se pasó al enemigo, siendo sustituído por el comandante Olivera, á quien sucedió Juan Arenas).

—Diciembre de 1828.—Á principios de este mes los brasileros desalojan la plaza.

—31 de Agosto de 1845.—Garibaldi, apoyado por la escuadra anglo-francesa, se apodera de la Colonia, defendida por tropas oribistas, y la deja al mando de don Lorenzo Batlle.

—18 de Agosto de 1848.—Las tropas oribistas, mandadas por el coronel don Lucas Moreno, se apoderan de la Colonia.

33—**Conchas**—4 de Agosto de 1806. — Desembarco de Liniers con la expedición salida de Montevideo para reconquistar á Buenos Aires.—(R. ARGENTINA.)

34—**Conchillas**—31 de Enero de 1807.—Liniers, procedente de Buenos Aires, desembarca en Las Conchillas, y marcha sobre Montevideo, ocupada á la sazón por los ingleses.—(COLONIA.)

35—**Constitución**—27 de Julio de 1863.—El coronel don Lucas Píriz se apodera de este pueblo, por orden del general Lamas, llegado allí á la 1 de la mañana con 230 fugitivos después del combate de las Cañas. El coronel revolucionario don Fructuoso Gómez, que ocupaba la villa con 50 hombres, es muerto por el mismo Píriz, y acuchillada toda la guarnición.—(SALTO.)

36—**Coquimbo**—2 de Junio de 1863.—Encuentro entre las fuerzas del Gobierno mandadas por el coronel don Bernardo Olid, y las revolucionarias mandadas por el general don V. Flores, quedando éste vencedor.—(SORIANO.)

37 — **Corpus Christi** — 15 de Junio de 1536. — Sangriento combate poco lejos de Buenos Aires entre 4000 indios querandíes y 330 españoles mandados por don Diego de Mendoza (hermano del Adelantado), quien muere en el campo con numerosos compañeros. — (R. ARGENTINA.)

38 — **Corumbé** — 27 de Octubre de 1816. — Los criollos mandados por don José G. Artigas, á pesar del heroísmo de su conducta, son vencidos por la numerosa hueste del general portugués Oliveira Álvares. — (BRASIL.)

39 — **Corralito** — 29 de Septiembre de 1870. — Batalla entre las fuerzas revolucionarias de don T. Aparicio y las gubernistas mandadas por Caraballo. — (SORIANO.)

40 — **Cuñapirú** — 21 de Mayo de 1897. — Combate entre 62 revolucionarios á órdenes del comandante don Julio César Barrios, salidos de Rivera, que habían ocupado días antes, y las tropas del Gobierno, que, en número de 610 hombres, al mando del coronel don Américo Fernández, habían llegado en ferrocarril, bajando cerca del puente de Cuñapirú. Creyendo tener delante un fuerte ejército, las fuerzas gubernistas, después de breve tiroteo, regresan á Tranqueras en el mismo tren. — (RIVERA.)

41 — **Chapicuy** — 14 de Junio de 1818. — Don Fructuoso Rivera derrota completamente las numerosas tropas portuguesas de Bentos Manuel, con las cuales había tenido un encuentro cerca de la Purificación en la mañana de este mismo día. — (PAYSANDÚ.)

42 — **Desembarco de Flores** — 19 de Abril de 1863. — El general don Venancio Flores, con pocos compañeros, desembarca en los Caracoles (Rincón de Haedo), empezando su *Cruzada Libertadora.* — (Río NEGRO.)

43 — **Don Esteban** — 17 de Octubre de 1864. — Combate entre las tropas de Flores y las del gobierno. Las primeras son mandadas por el coronel don Enrique Castro, y las segundas por el general don Servando Gómez. — (Río NEGRO.)

44 — **Durazno** — 4 de Octubre de 1827. — Reunido en el Durazno con los principales jefes de su ejército y comandantes de los departamentos, el general Lavalleja acepta la dictadura que aquéllos le ofrecen, quedando disueltos la Junta de Representantes y el Poder Ejecutivo, encabezado entonces, por el gobernador delegado don Joaquín Suárez. Lavalleja establece en esta villa su capital.

— 29 de Junio de 1832. — Insurrección militar contra el general Rivera, Presidente de la República, quien se salva huyendo por una ventana y vadeando el Yí.

— 27 de Noviembre de 1837. — Fuerzas riveristas sorprenden la villa y la ocupan.

— 12 de Agosto de 1864. — Capitulación de la villa del Durazno, defendida por 230 hombres del Gobierno, contra 500 soldados de la *Cruzada Libertadora*, mandados por el coronel Moyano, que la había atacado el 4 del mismo mes.

45 — **Ensenada** — 28 de Junio de 1807. — Con el objeto de apoderarse de nuevo de Buenos Aires, desembarcan en este punto casi doce mil ingleses bajo el mando supremo de Whitelocke. — (R. ARGENTINA.)

46 — **Florida** — 14 de Junio de 1825. — Instalación del primer gobierno nacional, compuesto de los siguientes Representantes: *don Manuel Calleros* por la Colonia, Presidente; *don Francisco J. Muñox*, por Maldonado; *don Loreto Gomensoro*, por Canelones; *don Gabriel Antonio Pereira*, por San Pedro del Durazno; *don Ma-*

nuel Durán, por San José; *don Juan José Vázquez*,
por Soriano; siendo secretario don Francisco Araucho.

—20 de Agosto de 1825. — Reunión de la primera Asamblea Nacional. Mandan Diputados las siguientes jurisdicciones: Florida, Guadalupe, San José, San Salvador, Nuestra Señora de los Remedios *(Rocha)*, San Pedro *(Durazno)*, Maldonado, San Juan Bautista *(Santa Lucía)*, Piedras, Rosario, Pando, Minas, Vacas y Víboras. Nómbrase Presidente al representante de Canelones, don Juan Francisco de la Robla, y secretario á don Felipe Álvarez Bengochea.

—25 de Agosto de 1825. — *(Fiesta cívica)*. — La Asamblea nacional declara la absoluta independencia de la Provincia Oriental y su incorporación á las demás Provincias Unidas del Río de la Plata. Componían la Asamblea los señores: don Joaquín Suárez, don J. F. de la Robla, don L. E. Pérez, don J. J. Vázquez, don M. Calleros, don J. de León, don C. Anaya, don S. del Pino, don Santiago Sierra, don A. Lapido, don J. T. Núñez, don G. A. Pereira, don M. L. Cortés y don I. Barrios.

—7 de Junio de 1863. — El general Flores ocupa á viva fuerza el pueblo, venciendo la débil resistencia opuesta por los escasos defensores.

—4 de Agosto de 1864. — Después de tenaz resistencia, las tropas revolucionarias de don V. Flores se apoderan de la villa, pereciendo en la refriega el hijo primogénito del jefe de la *Cruzada*. El mismo día son fusilados el comandante del Departamento, don Jacinto Párraga, y varios oficiales.

47 — Fortín de San Gabriel — 13 de Diciembre de 1573. — El Adelantado Ortiz de Zárate desembarca cerca del lugar donde se fundó después la Colonia, y se fortifica allí, dando á la población el mismo nombre de la isla, frente á la cual permanecía fondeado desde el 23 de Noviembre.

—29 de Diciembre de 1573.—Terrible batalla poco lejos del fortín de San Gabriel, entre los indios charrúas, mandados por Zapicán, y los españoles. Ortiz de Zárate busca refugio en los buques, y los charrúas destruyen el fortín.—(COLONIA.)

48—Fortines de San Salvador y de San Juan—Mayo de 1527.—El explorador Sebastián Cabotto funda en la desembocadura del arroyo de San Juan el fortín denominado San Salvador, primer establecimiento europeo en el Río de la Plata. Mal avenidos los charrúas con los españoles, una mañana de 1529 asaltan el fortín y lo destruyen, mientras Cabotto, descubierto el Paraná, lo seguía explorando y fundaba el fuerte de *Sancti Spíritus* en la desembocadura del río Carcarañal ó Tercero.

—1552.—En el mismo lugar donde Cabotto había fundado el fortín de San Salvador, Juan Romero, á mediados de 1552, por comisión del Gobernador Martínez de Irala, funda el fortín que, á la par del arroyo cercano, llama de San Juan, en honor del santo de quien lleva el nombre. Pero las insistentes hostilidades de los charrúas obligan á los españoles á abandonarlo á los pocos meses.—(COLONIA.)

49—Fortín de San Salvador—31 de Mayo de 1574.—Librado por Garay de las angustias en que lo tenían los charrúas, el Adelantado Ortiz de Zárate llega al río San Salvador y funda allí un pueblo fortificado.

—1576.—Afligidos por las penalidades causadas por la falta de recursos de toda clase y las implacables hostilidades de los indios, los habitantes de San Salvador, auxiliados por el célebre Melgarejo, salen del establecimiento y se retiran á la Asunción, quedando abandonado del todo por los españoles el territorio oriental por el espacio de 24 años seguidos.—(SORIANO.)

50—**Fray-Bentos**—*(Independencia)*.—12 de Agosto de 1863.—Fuerzas revolucionarias de don V. Flores ocupan esta población.—(Río NEGRO.)

51—**Guayrapuitá ó Santa María**—14 de Diciembre de 1819.—Brillante victoria de Artigas sobre el mariscal portugués Abreu, que después de ser batido en la barra del Sarandí ó Guayrapuitá chico, se escapa por el paso del Rosario á la margen derecha del río Santa María.—(BRASIL.)

52—**Gualeguaychú**—20 de Septiembre de 1845.—Garibaldi llega con su escuadrilla ligera á este pueblo y se apodera de él, respetando escrupulosamente la vida y la hacienda de sus habitantes.—(R. ARGENTINA.)

53—**Guaviyú**—Febrero de 1818.—Curado, cinco días después de capturado Lavalleja, derrota las tropas que mandaba este jefe.—(PAYSANDÚ.)

54—**Guaviyú**—21 de Mayo de 1818.—El general don F. Rivera sorprende las tropas portuguesas del brigadier Curado, las bate y se lleva 3,000 caballos que aquéllas custodiaban.—(PAYSANDÚ.)

55—**Guayabos**—10 de Enero de 1815.—Las tropas orientales de Artigas, al mando del coronel don Rufino Bauzá, derrotan á los argentinos, capitaneados por Dorrego. Muy eficazmente contribuyen al éxito de esta gloriosa jornada, Rivera, jefe de vanguardia, y Lavalleja, comandante de las guerrillas. La batalla es tan decisiva, que los argentinos entregan poco después á Artigas la ciudad de Montevideo, de la cual no querían antes desprenderse.—(SALTO.)

56—**Guayabos**—6 de Octubre de 1875.—Combate entre los voluntarios de la revolución *Tricolor*, al mando de don Genuario González, y las tropas del Gobierno mandadas por don Nicasio Borges.—(PAYSANDÚ.)

57 — Ibicuy — 21 de Abril de 1828. — El capitán don Felipe Caballero, con 80 hombres, pasa á nado el Ibicuy y vence la guardia brasilera que defendía el paso. Le sigue luego el general Rivera con el resto de las fuerzas, y se empieza así la célebre conquista de las Misiones. — (BRASIL.)

58 — Ibirocahy — 19 de Octubre de 1816. — Combate cerca de la capilla de Ñancay, entre el jefe artiguista Verdún y el portugués Mena Barreto. — (BRASIL.)

59 — India Muerta — 19 de Noviembre de 1816. — Los portugueses invasores, al mando del brigadier don Sebastián Pintos de Araújo Correa, obtienen una sangrienta victoria sobre los patriotas mandados por Rivera, en el Higuerón, entre el arroyo de la India Muerta y el Sarandí de la Paloma.

— 27 de Marzo de 1845. — Formidable choque de armas entre las tropas de Rivera y las del general rosista Urquiza. Después de encarnizada lucha, triunfa éste, viéndose forzado Rivera á pasar el Yaguarón. Mancha Urquiza su victoria haciendo degollar á 800 prisioneros. — (ROCHA.)

60 — Isla de la Libertad (ó de Ratas) — 15 de Julio de 1811. — Don Pablo Zufriateguy, con 80 voluntarios, por orden de Rondeau, asalta y toma la isla de Ratas, defendida por F. Ruiz, que muere en la pelea. Las armas y municiones que había en la isla, con la guarnición prisionera, son llevadas por los vencedores al campamento del ejército patriota, que sitiaba á Montevideo.

— 30 de Abril de 1843. — El almirante Brown asalta la isla de Ratas, defendida por Garibaldi, y es rechazado. Á la isla se le da desde entonces el nombre de *Libertad*. — (MONTEVIDÉO.)

61—Isla de Gorriti—30 de Octubre de 1806.—El almirante inglés Popham bombardea esta isla. La pequeña guarnición se defiende con heroicidad, aunque inútilmente, y, violando lo pactado, es confinada por el invasor á la isla de Lobos.—(MALDONADO.)

62—Isla de San Gabriel—7 de Febrero de 1516.—Llega el descubridor del Río de la Plata, Juan Díaz de Solís, y fondea frente á la isla.

—Enero de 1520.—Llegada de Magallanes.

—18 de Marzo de 1527.—Arribo de Cabotto, quien el 6 de Abril fondea en la ensenada que denomina de San Lázaro, en la costa uruguaya.

—23 de Noviembre de 1573.—Llega Ortiz de Zárate.—(COLONIA.)

63—Ituzaingó—20 de Febrero de 1827.—El ejército republicano (7,000 hombres) al mando de Alvear vence al ejército brasilero (9,000 hombres) mandado por el marqués de Barbacena. En esta memorable jornada, los republicanos pierden al coronel Brandzen y los imperiales al mariscal Abreu.—(BRASIL.)

64—Juncal—9 de Febrero de 1827.—El almirante Brown derrota la escuadra brasilera al mando de Sena Pereira, capturando 5 buques y 500 hombres, entre los cuales el mismo comandante.—(COLONIA.)

65—Maldonado—2 de Febrero de 1516.—Juan Díaz de Solís fondea en el puerto que llama de la *Candelaria*, hoy de Maldonado.

—29 de Octubre de 1806.—Á pesar de la resistencia opuesta por el jefe de la plaza, don Miguel Borrás, y por el alcalde don Ventura Gutiérrez, el almirante inglés Popham toma la ciudad y la entrega al saqueo.

—5 de Mayo de 1811.—Dueños de la ciudad, los patriotas, encabezados por don Manuel Francisco Artigas, obtienen del Cabildo juramento de fidelidad á la Junta revolucionaria de Buenos Aires.

—6 de Febrero de 1813.—El jefe militar de la plaza, don Francisco Antonio Bustamante, rechaza una expedición realista mandada allí por Vigodet para hacerse de víveres, de que tanto carecía Montevideo, sitiada estrechamente por los patriotas.

—22 de Noviembre de 1816.—Desembarco de fuerzas portuguesas destinadas al ejército invasor del general Lecor, quien ocupa la ciudad en Diciembre.

—1823.—Maldonado es capital provisoria del Estado Cisplatino, mientras dura la lucha entre Lecor, partidario del Brasil, y Álvaro da Costa, fiel al Portugal, quien tiene ocupada á Montevideo.

—17 de Mayo de 1827.—El barón de Vila-Vila, que sucede á Lecor en el gobierno del Estado Cisplatino, toma por sorpresa la ciudad, que desde el año 25 estaba en poder de los patriotas.

—15 de Enero de 1846.—El coronel don Venancio Flores llega de Montevideo con sus tropas en el vapor de guerra francés *Fulton*, y ocupa militarmente la plaza, de donde había salido el día 8 el coronel oribista Acuña. Flores con el coronel Freire y algunas familias se retiran á la isla de Gorriti, y el 30 vuelven los contrarios, ordenando el retiro de las restantes familias á San Carlos.

—26 de Enero de 1847.—Rivera, batido en la Sierra de las Ánimas por fuerzas de Barrios mientras cruzaba de Mercedes á Maldonado con tres escuadrones, entra en esta plaza, sitiada entonces por fuerzas oribistas, y asume la dirección de su defensa.

—7 de Marzo de 1847.—Combate entre la infantería de la plaza sitiada y la división de caballería maragata, la cual pierde en la refriega á su jefe, el teniente coronel don José M. Caballero, y se retira entonces á su departamento de San José.

—5 de Octubre de 1847.—Llega el coronel don Lorenzo Batlle, ministro de la guerra, portador del decreto del gobierno de la Defensa de fecha 3, por el cual se destituía y desterraba á Rivera, por haber entablado sin autorización arreglos de paz con Oribe. El coronel Báez es nombrado jefe de la defensa de la plaza, y Rivera sale al día siguiente para Santa Catalina.

66—Manantiales—17 de Julio de 1871.—Batalla entre las tropas del Gobierno, mandadas por el general don Enrique Castro, y las revolucionarias del general don Timoteo Aparicio. Muere en la lucha el viejo general don Anacleto Medina.—(COLONIA.)

67—Marmarajá—6 de Octubre de 1814.—El jefe artiguista Otorgués es vencido por las tropas argentinas de Alvear mandadas por Dorrego, y forzado á refugiarse en el Brasil.—(MINAS.)

68—Martín García—Febrero de 1516.—Llegada de Solís á la isla, que bautiza con el nombre de uno de sus compañeros muerto allí.

—10 de Febrero de 1574.—Ortiz de Zárate, auxiliado por Melgarejo *(véase el número 47)*, deja el fondeadero de San Gabriel y se refugia en Martín García, donde permanece más de tres meses y medio, esperando á Garay.

—7 de Julio de 1813.—El teniente de Dragones de la Patria don José Caparroz, con cuatro botes tripulados por 22 soldados, se apodera por la noche de la isla, matando á uno de sus 10 defensores, y regresa al día siguiente, llevándose tres lanchas, tres cañones y varias otras armas y municiones.

—3 de Noviembre de 1813.—Vigodet, sitiado en Montevideo por los patriotas, despacha la escuadrilla de don Jacinto Romarate con 700 infantes al mando de Loaces, para Martín García. La expedición se apodera de la isla, consiguiendo avituallar la plaza sitiada.

—12 de Marzo de 1814.—Romarate bate la escuadrilla de Brown; pero habiéndose internado con la suya en el Río Uruguay, los patriotas aprovechan la ocasión y se apoderan de la isla. El 24 del mismo mes, Romarate vence una pequeña flota destacada por Brown al mando de Norther sobre el Arroyo de la China, y después se estaciona en el Río Negro. Caída Montevideo, se entrega Romarate al gobierno de Buenos Aires.

—Noviembre de 1825.—La escuadra portuguesa toma posesión de la isla, que se hallaba desocupada.

—Enero de 1827.—Brown ocupa y fortifica la isla, que forma la base de sus operaciones contra la escuadra brasilera del Uruguay.

—11 de Octubre de 1838.—Ataque de la isla por parte de las fuerzas combinadas de la escuadra francesa y de la revolución encabezada por el general Rivera. La isla, valerosamente defendida por el teniente coronel don Jerónimo Costa, á la cabeza de 121 soldados argentinos, es tomada por los aliados.

—6 de Septiembre de 1845.—Garibaldi se apodera de la isla, defendida por el jefe argentino Pedro Rodríguez.

—17 de Marzo de 1852.—El jefe argentino Seguí se presenta en la isla con un fuerte destacamento de tropas pidiendo su entrega al comandante de ella, don Timoteo Domínguez, quien, imposibilitado de oponerle resistencia, se retira con sus pocos hombres á la Colonia, llevándose la bandera oriental, que no había querido bajar, y cuya asta había tronchado á hachazos, diciendo estas altivas palabras: *¡ La bandera oriental no se entrega ni se arría!* (En 1856 un tratado legalizó esta usurpación.)

69 —**Matanza**— 1582.— Terrible batalla entre los españoles de Juan de Garay y los querandíes, los cuales caen muertos en el campo en tal cantidad, que le queda el nombre de *Matanza* al lugar del combate y al río que lo cruza.—(R. ARGENTINA.)

70 —**Melo**—*(Cerro-Largo).* —30 de Octubre de 1801. — Las fuerzas españolas que ocupaban la frontera de la Banda Oriental, son desalojadas por el gobernador de Río Grande, el cual se apodera de la villa de Melo, además de buena porción del territorio uruguayo y de las Misiones, so pretexto de la guerra declarada por el Portugal á España.

—23 de Julio de 1811.—Entra en la villa la vanguardia del ejército portugués del general don Diego de Sousa, que iba en ayuda de los españoles contra los patriotas que sitiaban á Montevideo.

—10 de Enero de 1828.—Lavalleja, que por decreto del 13 de Julio de 1827, sucede á Alvear en el mando del ejército republicano, abandona los cuarteles de invierno, ocupados desde el mes de Junio anterior, y emprende la 3.ª campaña contra el Brasil. Permanecen los dos ejércitos varios meses en frente uno de otro, separados por fragosidades del terreno, que los caballos no pueden salvar, hasta que los brasileros, en Mayo, se retiran á Río Grande.

—10 de Abril de 1833.—El coronel Olazábal, con tropas revolucionarias de Lavalleja, ocupa la villa, que sitiaba desde el 7 y que era defendida por el coronel Pozzolo; pero poco después es derrotado por el presidente Rivera, salido á campaña para combatir á los revoltosos.

—19 de Agosto de 1844.—La villa, defendida por el coronel oribista don Dionisio Coronel, es atacada por el general Rivera, que no logra rendirla, y que el 23, aproximándose Urquiza, tiene que abandonar el sitio. (Éste había empezado el 12 por las tropas de Cabral, el cual cayó combatiendo el 21.)

—11 de Febrero de 1845.—El general Rivera vuelve á sitiar esta plaza, cuyo jefe, don D. Coronel, la defiende valerosamente.

71—Mercedes — *(Capilla Nueva).* — 28 de Febrero de 1811.—De acuerdo con el teniente don Ramón Fernández, oriental, jefe militar de esta plaza, los sublevados en Asencio la ocupan.

—11 de Abril de 1811.—Artigas, vuelto al país desde Buenos Aires, lanza á los patriotas una proclama entusiástica.

—12 de Abril de 1811.—Llega don Manuel Belgrano con 900 hombres para ponerse al frente de los independientes, por orden de la Junta de Gobierno de Buenos Aires.

—Junio 1825.—El capitán Caballero entra de noche en la ciudad y toma prisioneros á varios oficiales brasileros y á los hijos del general Abreu, acampado en Dacá con 2,000 hombres.

—25 de Febrero de 1828.—Rivera con 70 hombres se apodera de la ciudad, y poco después emprende la campaña de las Misiones.

—27 de Noviembre de 1837.—Rivera entra en Mercedes y pone á contribución el pueblo.

—7 de Diciembre de 1843.—La ciudad es reciamente atacada por fuerzas de Rivera, mandadas por don Anacleto Medina, quien se retira al día siguiente, rechazado por el general don Antonio Díaz, que encabezaba la defensa. El ataque había empezado el día anterior.

—14 de Junio de 1846.—Rivera logra apoderarse de esta plaza, defendida por fuerzas oribistas al mando del coronel don Jaime Montoro, que es sorprendido y muerto mientras intenta pasar el Río Negro.

—27 de Enero de 1847.—El general don Ignacio Oribe ocupa la ciudad sin encontrar resistencia, pues la guarnición ya se había retirado llevándose las armas y municiones.

—28 de Agosto de 1864.—El general don V. Flores se apodera de la población sin derramamiento de sangre.

72—**Miguelete**— 1788.—Nacimiento de don Fructuoso Rivera, célebre patriota, fundador del partido *colorado*, opuesto al *blanco* ó *nacionalista*, fundado por el general don Manuel Oribe. (Las rivalidades de estos dos caudillos y de los respectivos partidos ensangrentaron muchas veces el suelo de la Patria, y retardaron su progreso económico.)

—8 de Diciembre de 1813.—En la capilla del *Niño Jesús*, chacra de don Francisco Maciel, se reune en los días 8, 9 y 10, el Congreso convocado por Rondeau, en el cual se declara que los veintitrés pueblos representados por los congresales mismos formaban la *Provincia Oriental*, reconocida por una de las del *Río de la Plata;* se eligen tres diputados para la Asamblea Constituyente de Buenos Aires (don Marcos Salcedo, don Dámaso Larrañaga y don Luis Charruarín), y se nombra una Junta Municipal Gubernativa, formada por don T. García de Zúñiga, don J. J. Durán y don R. Castellanos.

(Este Congreso fué convocado en desacuerdo con Artigas, quien había reunido igual Congreso el 5 de Abril anterior en su campamento, tomando análogas disposiciones. Pero los diputados elegidos por este Congreso fueron rechazados por la Asamblea de Buenos Aires, como lo fueron después los electos en Diciembre; lo que determinó á Artigas á romper definitivamente con el gobierno de la otra orilla, y á proclamar la independencia absoluta de la Provincia Oriental.)

(El *Congreso del Miguelete* fué constituído por los siguientes representantes: Juan José Ortiz y Juan José Durán por *Montevideo;* — Bartolomé Muñoz por *Maldonado;* — Tomás García de Zúñiga por *S. Carlos, Porongos* y *S.ª Lucía;* — Francisco Silva por *Rocha;* — Pedro Pérez por *S.ª Teresa;* — José Núñez por *Melo;* — Manuel Haedo por *Mercedes;* — Juan Francisco Martínez por *Soriano;* — Leonardo Fernández por *S. Salvador;* Pedro Calatayud por las *Víboras;* — Luis de la Rosa Britos por la *Colonia;* — Tomás Paredes por *Paysandú;* Andrés Durán por *Belén;* — Julián Sánchez por el *Colla;* — José Manuel Pérez por *Minas;* — Felipe Pérez por *S. José;* — Vicente Varela por las *Piedras;* — José Antonio Ramírez por el *Pintado;* — León Porcel de Peralta por *Canelones;* — Manuel Pérez por *Peñarol;* Benito García por *Pando;* — Manuel Francisco Artigas y Ramón Cáceres por los *vecinos armados.* — *Presidente:* general don José Rondeau; — *Secretario:* don Tomás García de Zúñiga. En total: representantes 24; — pueblos representados 23.) — (MONTEVIDEO.)

73 — Minas — 1786. — Nacimiento de don Juan Antonio Lavalleja, ilustre patriota, quien se cubrió de gloria imperecedera encabezando la heroica Cruzada de los Treinta y Tres, que concluyó felizmente consiguiendo la |completa independencia de la República Oriental del Uruguay.

—24 de Abril de 1811.—Los patriotas, mandados por don Manuel Francisco Artigas, se apoderan de esta villa sin combate.

—Noviembre de 1816-Enero de 1817.—Los portugueses invasores, al mando de Silveira, ocupan la villa, donde los sitia y hostiliza don J. A. Lavalleja con 500 jinetes, hasta que á mediados de Enero logran salir ó incorporarse á Lecor en Pan de Azúcar.

74—Molles ó Sauce—24 de Enero de 1844.—Combate entre Urquiza y Rivera, empezado poco después de medio día y concluído al anochecer con la retirada de ambos ejércitos del campo.—(DURAZNO.)

75—Monte Caseros—3 de Febrero de 1852.—El ejército aliado (30,000 hombres: argentinos unitarios, brasileros y orientales) al mando del general Urquiza, gobernador de Entre-Ríos, derrota el ejército del tirano don Juan Manuel de Rosas, que huye en seguida á Inglaterra. La división de 2,000 orientales se cubre de gloria en esta memorable batalla, y su jefe, el coronel don César Díaz, es. ascendido ·pocos días después á general, premiándose con una medalla conmemorativa á los valientes que lo acompañaban.—(REPÚBLICA ARGENTINA.)

76 — Montevideo — *(Véanse también los números 28 y 29).*—Enero de 1520.—Llega Magallanes al Río de la Plata y fondea cerca de la bahía de Montevideo.

—Noviembre de 1723.—Llega á la bahía una escuadra portuguesa, mandada por M. de Noronha, y desembarca 300 soldados, los cuales, bajo la dirección de Freytas da Fonseca, levantan carpas y empiezan la construcción de fortificaciones. La noticia de este suceso es traída á Buenos Aires por el práctico del Río de la Plata, capitán don Pedro Gronardo.

—19 de Enero de 1724.—En vista de los preparativos bélicos que hacía el gobernador Zabala para expulsar á los intrusos, Fonseca se retira de la posición ocupada. No obstante, se traslada Zabala al lugar disputado y lo guarnece con artillería empezando la construcción de un fuerte delineado por el ingeniero don Domingo Petrarca, siendo los trabajos ejecutados por 1,000 indios tapes llegados el 25 de Marzo.

De este modo se empieza la ciudad de Montevideo, que el mismo Zabala funda oficialmente el 29 de Diciembre de 1729, labrando el acta de fundación con asistencia de Pedro Millán y de don Francisco Antonio de Lemos, y nombrando el 1.º de Enero siguiente el primer Cabildo, que lo componen: don José de Vera Perdomo, don José Fernández Medina, don Cristóbal Cayetano de Herrera, don Juan Camejo Sotto, canarios; don Bernardo Gaytán y don José González de Melo, porteños; don Jorge Burgués, genovés, y don Juan Antonio Artigas, aragonés.

(Las primeras familias pobladoras vinieron de Buenos Aires, y eran siete. Con ellas, por comisión de Zabala, planteó Millán la nueva ciudad el 20 de Enero de 1726, bajo la advocación de San Felipe y Santiago. El 19 de Noviembre del mismo año llegó Alzáibar con doce familias de las islas Canarias; y el 24 de Diciembre Millán señaló los límites de la ciudad y repartió los solares á los vecinos. Don Jorge Burgués, que se había establecido con casa y huerta desde 1724, puede considerarse el primer poblador de Montevideo.)

—19 de Junio de 1764.—Nace en su casa paterna, sita en la esquina que forman hoy las calles *Wáshington* y *Pérez Castellanos*, José Gervasio Artigas, descendiente de uno de los miembros del primer Cabildo de Montevideo y fundador de la independencia uruguaya. (Este honor fué disputado á Montevideo por Las Piedras, el Sauce y Pando.)

Muere Artigas cerca de la Asunción del Paraguay, el 23 de Septiembre de 1850, el mismo día en que 30 años antes había pasado el Paraná en la Candelaria, pisando el suelo de su voluntario destierro.

—20 de Enero de 1807.—Batalla del *Cristo* entre los ingleses invasores y los defensores de Montevideo, en la que muere el capitán don Francisco Antonio Maciel, llamado por su filantropía el *Padre de los pobres*. Los españoles, mandados por el jefe de la plaza, don Francisco Javier de Viana, tienen que retirarse, dejando mil compañeros en el campo de batalla.

—3 de Febrero de 1807.—Después de encarnizada lucha, y con grandes pérdidas, los ingleses toman por asalto la plaza.

—9 de Septiembre de 1807.—Vencidos por Liniers en Buenos Aires, y de acuerdo con lo estipulado en la capitulación del 7 de Julio, los ingleses evacúan la ciudad de Montevideo, donde entra el gobernador Elío.

—21 de Mayo de 1811.—Artigas impone á Elío la entrega de la plaza. El jefe español rechaza la intimación, y el 24 de noche expulsa de la ciudad á los frailes franciscanos, que simpatizaban con el caudillo uruguayo.

—12 de Octubre de 1811.—Rondeau levanta el sitio y se retira con las tropas argentinas á San José, seguido dós días después por Artigas con los orientales.

— 20 de Octubre de 1811.—El triunvirato de Buenos Aires estipula con el virrey Elío uu armisticio por el cual se deja en poder de los españoles la Banda Oriental. Artigas, conocedor de esto el 23, encontrándose en San José, protesta y se va al otro lado del Uruguay, seguido por más de 15,000 orientales de toda edad y sexo, estableciendo su campamento en las márgenes del Ayuí en los primeros días del año 1812.

—1.º de Noviembre de 1812.—Los españoles intentan una salida y son batidos por los patriotas que sitiaban la plaza desde el 1.º de Octubre.

—20 de Abril de 1814.—El almirante Brown empieza con la escuadra argentina el bloqueo de este puerto, que dura hasta el 14 de Mayo sin resultado.

—23 de Junio de 1814.— Termina la dominación española en el Río de la Plata. El gobernador Vigodet entrega la plaza á los patriotas que la sitian, mandados por Alvear (que había sucedido á Rondeau el 17 de Mayo de 1814), y sale con la valiente guarnición, á la cual le fueron tributados todos los honores de guerra. Alvear falta á la fe pactada, y declara prisioneros de guerra á los españoles, que se habían acampado en el Arroyo Seco y se preparaban á salir para Maldonado y embarcarse allí para España; y justifica su conducta diciendo que temía las inteligencias entre el jefe español y Artigas, desavenido entonces con el gobierno de Buenos Aires.

—27 de Febrero de 1815.—Evacuada el 25 la ciudad por las tropas argentinas, entra en ella el capitán artiguista Yupes con 160 hombres, haciéndose cargo del gobierno don Tomás García de Zúñiga, sustituído desgraciadamente poco después por Otorgués.

—20 de Enero de 1817.—Los portugueses invasores, al mando del general don Carlos Federico Lecor, barón de la Laguna, entran en Montevideo, cuyas llaves habían sido entregadas el día antes, á nombre del Cabildo, por don B. Blanco, don L. de la Rosa Britos y don Dámaso Larrañaga. Los patriotas, aunque vencidos por todo lado, siguen hostilizando á los portugueses en la campaña bajo el mando superior de Artigas, y los sitian en Montevideo mismo, á las órdenes de Rivera.

—20 de Enero de 1823.—Los portugueses al mando de don Álvaro da Costa, fiel al rey de Portugal, son sitiados por mar y por tierra por Lecor, quien se había declarado en favor de la independencia del Brasil.

—23 de Octubre de 1823.—Simulacro de combate naval en la bahía entre los partidarios del Brasil y los de Portugal, declarándose vencido Álvaro da Costa, jefe del bando portugués.

—28 de Febrero de 1824.—Sale de la ciudad con sus tropas don Álvaro da Costa, y entra inmediatamente con las suyas Lecor, acabándose la dominación portuguesa y empezando la brasilera.

—7 de Mayo de 1825.—La plaza es sitiada por el ejército de los Treinta y Tres, al mando de Calderón y don Manuel Oribe.

—27 de Marzo de 1826.—En esta noche quiere Brown sorprender la fragata brasilera *Nichteroy*, con la cual se había batido días antes en el puerto. Pero es notado por la *Emperatriz*, con la que traba combate, matándole su comandante.

—23 de Abril de 1829.—Las tropas brasileras evacúan la ciudad, como consecuencia del tratado de paz celebrado entre la Argentina y el Brasil, en el que había sido reconocida la independencia de la Banda Oriental.

—1.º de Mayo de 1829.—El gobierno provisorio, que bajo la presidencia de Rondeau residía en la Aguada, entra en la ciudad.

—18 de Julio de 1830.—*(Fiesta Cívica).*—Jura de la Constitución del Estado en la Plaza de la *Matriz* llamada después *Plaza Constitución.*

—20 de Noviembre de 1832.—Vencida la revolución promovida por Lavalleja, el general Rivera hace su entrada triunfal en la ciudad.

—1.º de Noviembre de 1838.—Presentada el 24 de Octubre por el general Oribe la renuncia á la presidencia de la República, salido él mismo para Buenos Aires el 27, entra triunfalmente en la capital el general Rivera. De este modo termina la revolución riverista iniciada el 16 de Julio de 1836.

—24 de Mayo de 1841.—Combate naval cerca de Montevideo entre la escuadrilla oriental al mando de don Juan H. Coe y la de Brown, almirante de Rosas, sin resultados importantes para ninguno de los contendientes.

—3 de Agosto de 1841.—Combate en las aguas de Montevideo, entre la escuadrilla de Coe y la de Brown, resultando éste vencido y á punto de caer prisionero.

—1843-1851.—Sitio grande de Montevideo, que dura desde el 16 de Febrero de 1843 hasta el 8 de Octubre de 1851; es decir, 8 años, 7 meses y 21 días. Durante este tiempo, es jefe del gobierno el integérrimo patriota don Joaquín Suárez del Rondelo, y la ciudad resiste heroicamentete contra las huestes orientales y argentinas, mandadas por el general don Manuel Oribe. El 8 de Octubre de 1851, bajo la fórmula fraternal «no hay vencidos ni vencedores», se estipula la paz.

—8 de Febrero de 1844.—Encontrándose en la línea avanzada de la defensa el coronel de caballería don Marcelino Sosa, una bala perdida de cañón de los sitiadores le toma de costado, llevándole los intestinos. El esforzado patriota muere pocos minutos después, diciendo á los que le rodean: *Camaradas, salvad la patria!*

—4 de Agosto de 1845.—La flota anglo-francesa, á consecuencia de la intervención estipulada, se apodera de la escuadra de Rosas, fondeada en la rada, mandándose al almirante Brown y á las tripulaciones á Buenos Aires en buques franceses.

—**18** de Julio de 1853.—Mientras se celebra en la catedral una fiesta para solemnizar la jura de la Constitución, estalla un conflicto sangriento en la misma plaza *Matriz*, entre la tropa de línea y la guardia nacional, cuya consecuencia es el derrocamiento del presidente don Juan Francisco Giró.

—28 de Agosto de 1855.—Movimiento revolucionario encabezado por José María Muñoz contra el general don Venancio Flores, quien renuncia la Presidencia de la República desde la Unión el 10 de Septiembre siguiente.

—9 de Enero de 1858.—El general don César Díaz ataca la ciudad; pero es rechazado por las tropas del Presidente don Gabriel Antonio Pereira, y se retira hacia San José.

—3 de Febrero de 1865.—El general don Venancio Flores declara sitiada la plaza, instalando su cuartel general en la quinta de Iturriaga, hasta que por el tratado de paz celebrado el 20 en la Unión, se pone término á la *Cruzada Libertadora*.

—22 de Febrero de 1865.—Entrada triunfal del general Flores en la capital.

—19 de Febrero de 1868.—Asesinato del Presidente de la República, general don Venancio Flores, y del ex Presidente don Bernardo P. Berro.

—29 de Noviembre de 1870.—El general don Lorenzo Batlle, Presidente de la República, sitiado en la capital por las tropas revolucionarias de don Timoteo Aparicio, hace una salida y, después de sangriento combate, toma la Unión, centro de operaciones del ejército sitiador.

—6 de Abril de 1872.—Con la mediación del cónsul argentino don J. Villegas, se firma el convenio de paz que pone término á la revolución de Aparicio, siendo el gobierno de la República presidido por el benemérito ciudadano don Tomás Gomensoro.

—10 de Enero de 1875.—Efectuándose la elección de alcalde ordinario, los opositores del Gobierno provocan un conflicto en la Plaza Constitución, resultando 14 ciudadanos muertos y más de 50 heridos.

—15 de Enero de 1875.—Estalla un motín militar encabezado por el coronel don Lorenzo Latorre, quien firma un manifiesto junto con los jefes don Miguel A. Navajas, don Casimiro García, don José Etcheverry, don Zenón de Tezanos, don Ángel Casalla y don Plácido Casariego, declarando destituído al Presidente don José Ellauri y reemplazándolo por don Pedro Varela.

—25 de Agosto de 1897.—Avelino Arredondo mata de un balazo al Presidente de la República, don Juan Idiarte Borda, mientras con su séquito iba á pie de la Catedral al Palacio de Gobierno para asistir al desfile de las tropas, festejándose el aniversario de la Independencia. El hecho sucede á las 2^h 50' p. m. en la Plaza Constitución, frente al número 331 de la calle Sarandí. El matador es arrestado en el acto. Sucede en el mando al señor Borda el Presidente del Honorable Senado, don Juan Lindolfo Cuestas, cuya Presidencia es saludada con sinceros y unánimes halagos por la prensa y la población.

—18 de Septiembre de 1897.—Los señores don Eduardo Mac-Eachen, Ministro de Gobierno; teniente general don Luis Eduardo Pérez, Ministro de la Guerra y Marina; doctor don Mariano Ferreira, Ministro de Relaciones Exteriores; don Jacobo A. Varela, Ministro de Fomento, y doctor don Juan Campisteguy, Ministro de Hacienda, por parte del gobierno de la República, presidido por el ciudadano don Juan L. Cuestas; y los doctores don Juan José de Herrera, don Eustaquio Tomé, don Aureliano Rodríguez Larreta y don Carlos A. Berro, comisionados por los jefes de la Revolución, suscriben el convenio de paz, que pone término á la insurrección encabezada por el general don Aparicio Saravia y el coronel don Diego Lamas. Al día siguiente la Asamblea Legislativa aprueba por aclamación este convenio.

Es notable el hecho de ser ésta la primera vez que en sus contiendas civiles los orientales hacen la paz sin intervención extranjera, pues mediadores en ella fueron los beneméritos ciudadanos doctor don José Pedro Ramírez y don Pedro Echegaray, eficazmente coadyuvados por los señores don Pelayo M. de Pena (iniciador de la gestión), Senador doctor don Francisco Bauzá, Diputado doctor don Antonio María Rodríguez y otros. Y el 25, según una cláusula del tratado, se efectúa en La Cruz (Florida) el desarme de las tropas revolucionarias. Representa al Gobierno en este acto el Jefe del Estado Mayor, general don Manuel Benavente.

77 — Monzón — 29 de Abril de 1825. — El brigadier don Fructuoso Rivera, entonces al servicio del Brasil, es capturado por Lavalleja por medio de un ardid, y se adhiere á la causa de los 33 patriotas, trayéndole el valioso contingente de su prestigio. (Todo eso, según se cree, estaba de antemano convenido entre los dos patricios.) — (SORIANO.)

78 — Muerte de F. Rivera — 13 de Enero de 1854. — Mientras desde el Brasil se dirige á Montevideo, para ocupar su puesto con Lavalleja y Flores en el triunvirato que sucede en el gobierno de la República al derrocado Presidente Giró, es sorprendido por la muerte en el rancho de don Bartolo Silva, en la orilla derecha del arroyo de los Conventos, frente á Melo, el general don Fructuoso Rivera. — (CERRO LARGO.)

4

79 — Muerte de Solís — Marzo de 1516. — Desembarcado
Solís con pocos compañeros en tierra uruguaya, mientras toma posesión de ella en nombre del rey de España, es sorprendido y muerto á flechazos por los indios charrúas. — (COLONIA.)

80 — Muerte de Zapicán — Mayo de 1574. — Mientras
acude en auxilio del Adelantado Ortiz de Zárate, aco-
sado por los indios, el valiente Juan de Garay es arro-
jado por una violenta tempestad á la costa del San
Salvador. Acometido al amanecer del día siguiente por
los charrúas, se traba una reñida batalla, en que el de-
nuedo de los españoles triunfa del desesperado valor de
los indígenas, los cuales pierden en la lucha á Zapicán
y á los demás caciques. — (SORIANO.)

81 — Nueva Palmira — *(Higueritas)* — 12 de Marzo de 1834.
— Lavalleja, levantado en armas contra el gobierno de
Rivera, desembarca con 86 hombres en Punta Gorda y
se apodera de Higueritas. Derrotado el 20 de este mes
en el Arapey, se retira al Brasil. — *(Véase el núm. 93.)*

— 15 de Abril de 1897. — Veinte revolucionarios nacionalistas al mando de los jóvenes guardia-marinas don
Alberto Suárez y don Alberto Rodríguez, toman por
asalto la cañonera nacional *Artigas*, heroicamente defendida por su comandante don Luis Risso, quien cae
cubierto de heridas. En la refriega mueren los dos jefes de la expedición y el teniente Gradín (del Gobierno), además de varios soldados: en todo unos 30
entre muertos y heridos. La *Artigas* queda al mando
del capitán Acuña, que, falto de instrucciones, la lleva
al puerto de Zárate, donde las autoridades argentinas
se apoderan de ella, entregándola al Gobierno oriental
y dando libertad á la tripulación. — (COLONIA.)

82 — Ombú — 16 de Febrero de 1827. — El coronel argentino don Lucio Mansilla derrota la división brasilera de

Bentos Manuel Ribeiro, quien tiene que pasar al norte del Ibicuy para rehacerse, y no puede tomar parte en la célebre batalla de Ituzaingó.—(BRASIL.)

83—Pago Largo—31 de Marzo de 1839.—G. Berón de Astrada, gobernador de Corrientes, es derrocado por Urquiza, gobernador de Entre Ríos, adicto á Rosas. Mil doscientos patriotas son bárbaramente sacrificados, y entre ellos Berón de Astrada, á quien es arrancada una lonja de la piel de la espalda, para hacer una manea para el caballo del tirano de Buenos Aires.—(R. ARGENTINA.)

84—Palmar—15 de Junio de 1838.—La revolución encabezada por el general Rivera, triunfa en el Palmar del Arroyo Grande contra las tropas del Gobierno, mandadas por el general don Ignacio Oribe, hermano del Presidente de la República.—(Río NEGRO.)

85—Palomas—13 de Octubre de 1875.—Combate entre los revolucionarios mandados por Saldaña, y las tropas del Gobierno al mando del coronel don S. Martínez.—*(Véanse los núms. 56 y 94.)*—(SALTO.)

86—Paso de Coelho—Septiembre de 1817.—De regreso de una salida hecha hasta el Pintado Viejo al frente de 5,000 hombres, en procura de víveres, el general Lecor es batido por unos mil patriotas de Rivera en el paso de Coelho (Santa Lucía), consiguiendo sólo al precio de graves pérdidas llevarse á Montevideo unos miles de cabezas de ganado.—(FLORIDA.)

87—Paso de la Laguna—6 de Septiembre de 1897.—El comandante revolucionario don Esteban Fernández con 80 hombres, es sorprendido y derrotado por fuerzas gubernistas muy superiores, al mando del coronel don Elías Borches, quedando él mismo en el campo gravemente herido.

Es éste el último hecho de armas de esta revolución, habiendo llegado á feliz término, cuatro días después, los arreglos de paz entre el Gobierno del señor don Juan L. Cuestas y la Revolución, con la patriótica intervención de los ciudadanos doctor don José Pedro Ramírez y don Pedro Echegaray. —(Río NEGRO.)

88—Paso del Molino—16 de Enero de 1846. —El coronel don Venancio Flores asalta sin resultado la villa de San Carlos, defendida por Acuña. Mientras se retira á Maldonado, es alcanzado en el Paso del Molino del arroyo Maldonado por Barrios, que dispersa sus gentes y le hace muchos prisioneros, entre ellos al comandante don Pantaleón Pérez, tratándolos á todos con mucha nobleza. —(MALDONADO.)

89—Paso del Rey—21 de Abril de 1811. —Combate entre los españoles al mando del teniente coronel Bustamante y 600 patriotas mandados por don Baltasar Vargas y don Manuel Artigas, quienes obligan al enemigo á retirarse á San José, donde lo sitian.— (SAN JOSÉ.)

90—Paypaso—18 de Julio de 1897. —Combate entre las fuerzas del Gobierno al mando del coronel Córdoba y las revolucionarias mandadas por el doctor Cabellos, don Anastasio González Laguna y don Antonio Monte Santos. —(ARTIGAS.)

91—Paysandú—Septiembre de 1811. —Una partida de 200 hombres del ejército portugués auxiliador de los españoles contra los patriotas, había rodeado á Paysandú, defendida heroicamente por 50 hombres al mando del capitán don Francisco Bicudo, quien había sido muerto en la lucha con todos los suyos, menos ocho. En los primeros días de Septiembre, el capitán don Ambrosio Carranza, enviado por Rondeau, toma por asalto la ciudad, y ahuyenta á los depredadores portugueses que saqueaban las estancias. Poco antes, el patriota Ojeda en Yapeyú (paso del Río Negro), había batido y hecho prisionero á Bentos Manuel Ribeiro.

—Febrero de 1818.—Las tropas portuguesas de Curado ocupan la villa.

—21 de Agosto de 1825.—El coronel don Julián Laguna derrota una división brasilera que pernoctaba fuera del pueblo, y se apodera de éste.

—20 de Septiembre de 1836.—Don José Marote, comandante riverista, se apodera de la villa, cuyos defensores pasan á la costa argentina en una goleta, protegidos por el ayudante don Lucas Píriz.

—29 de Noviembre de 1837.—Los coroneles riveristas don Ángel Núñez y don Fortunato Mieres atacan la plaza defendida por el coronel don Eugenio Garzón con la ayuda de una escuadrilla argentina al mando del coronel Toll; y después de 3 días de inútiles tentativas, se retiran. Hechos parecidos se repiten á menudo durante este largo sitio.

—16 de Diciembre 1837.—La plaza, defendida valientemente por don Lucas Moreno, don Lucas Píriz y don Manuel Lavalleja, bajo el mando superior del coronel don Eugenio Garzón, es atacada por el ejército revolucionario de Rivera, quien se retira tres días después.

—26 de Diciembre de 1846.—El general Rivera, ayudado por una escuadrilla francesa, se apodera de la villa, defendida por 600 hombres, habiendo empezado el ataque el día anterior. La guarnición, con su jefe don Felipe Argentó, se rinde al vencedor.

—24 de Enero de 1847.—Evacuada por las fuerzas riveristas al mando del coronel Hornos, la villa es ocupada por el general oribista don Servando Gómez.

—25 de Mayo de 1863.—El general don Venancio Flores hace una demostración de ataque á la plaza, muy bien defendida por el comandante don Carlos Lacalle, y dos días después se retira hacia el Río Negro.

—6 de Diciembre de 1864.—El ejército revolucionario del general don Venancio Flores, fuerte de más de 4,000 hombres, y secundado por una escuadra brasilera, empieza el sitio de esta plaza, defendida por el general don Leandro Gómez, siendo segundo jefe el general don Lucas Píriz, quien el 2 de Enero siguiente muere de un balazo recibido el día anterior, mientras apuntaba un cañón contra un cantón enemigo.

—2 de Enero de 1865.—Termina la heroica defensa de Paysandú, que, agotados los últimos recursos, se entrega á las fuerzas aliadas de Flores y del Brasil. La victoria es manchada con el fusilamiento del general Gómez, del comandante Fraga, del mayor Acuña y del capitán Fernández, acreedores al laurel de los héroes más bien que á la palma del martirio. El mismo día del año 1884 los restos del infortunado Leandro Gómez son trasladados á Montevideo.

92—Pedernal—9 de Septiembre de 1863.—Encuentro en la *Isla de Tuyú*, entre el Pedernal y las puntas de Salsipuedes, de las fuerzas revolucionarias de Flores al mando del comandante don Gregorio Suárez, con las del Gobierno, mandadas por el coronel don Timoteo Aparicio, jefe de vanguardia del general don Anacleto Medina.—(TACUAREMBÓ.)

93—Perico Flaco—16 de Marzo de 1834.—Lavalleja, retirándose con unos 80 hombres ante las fuerzas superiores del coronel don A. Medina, es alcanzado en el paso de Perico Flaco y deshecho. Lavalleja, su hermano y casi todos los suyos se salvan á nado, y se retiran hacia el Arapey.—*(Véase el núm. 81.)*—(SORIANO.)

94 — Perseverano — 7 de Octubre de 1875. — Combate entre el coronel don Carlos Gaudencio, gubernista, y Arrúe, revolucionario. — *(Véanse los núms. 56 y 85.)* — (Soriano.)

95 — Pichinango — 28 de Marzo de 1818. — Por encargo de Artigas, el jefe de Soriano, don Juan Ramos, con 300 jinetes, derrota, no lejos del Colla, al coronel portugués Gaspar, que depredaba el departamento, y quien cae muerto en la refriega. — (Colonia.)

96 — Piedras (Las) — 18 de Mayo de 1811. — Memorable batalla (uno de cuyos episodios se desarrolla en la iglesia misma del pueblo), en la que Artigas con mil patriotas derrota á igual número de españoles mandados por el capitán de fragata don José de Posadas, que es tomado prisionero con 22 oficiales y 342 hombres de tropa. La Junta de Buenos Aires decreta al célebre caudillo oriental el grado de coronel y una espada de honor.

— 25 de Junio de 1814. — Otorgués, sorprendido á las 8 de la noche cerca de este pueblo por Alvear, es derrotado y huye hacia Canelones, protegido por Rivera.

— 16 de Septiembre de 1863. — En el paraje denominado *Pastoreo de Pereira*, cerca de Las Piedras, el general Flores y las tropas del Gobierno, mandadas por el general Moreno, traban un combate. — (Canelones.)

97 — Punta de Santiago — 7 y 8 de Abril de 1827. — El almirante Brown se sostiene heroicamente por dos días con sólo cuatro buques, dos de los cuales varados, contra 22 naves brasileras; y consigue romper la línea enemiga y llegar á Buenos Aires con los dos buques disponibles. — (República Argentina.)

98 — Purificación — 27 de Agosto de 1816. — Artigas sale de su gran campamento para marchar contra los portugueses invasores. — (Paysandú.)

99—Quebracho—31 de Marzo de 1886.—Después de una desastrosa retirada, los revolucionarios encabezados por los generales don Enrique Castro y don José Miguel Arredondo, levantados contra el gobierno tiránico de Santos, se rinden al general gubernista don Máximo Tajes, quien trata á los nobles prisioneros con lealtad y generosidad caballerescas.—(PAYSANDÚ.)

100—Queguay—5 de Julio de 1818.—Fuerzas portuguesas al mando de Bentos Manuel Ribeiro, en la noche del 4 al 5 sorprenden el campamento de Artigas y se apoderan del armamento y de algunas familias; pero todo el botín y los prisioneros son recuperados por Rivera, quien cae pocas horas después sobre los vencedores y los derrota completamente, obligando al mismo jefe enemigo á huir á pie en los montes para salvar la vida.— (PAYSANDÚ.)

101—Quilmes—25 de Junio de 1806.—La flota de sir Home Popham llega á la costa argentina y desembarca 1,600 soldados y 4 piezas de artillería al mando de Guillermo Car Berresford, quien emprende la marcha hacia la capital del virreinato, entrando en ella el 27 sin disparar un tiro, habiéndola abandonado el virrey Sobremonte.—(REPÚBLICA ARGENTINA.)

—24 de Febrero de 1827.—Combate naval frente á Quilmes, ganado por el almirante Brown contra la armada brasilera que bloqueaba la costa de Buenos Aires. (REPÚBLICA ARGENTINA.)

102—Quinteros—28 de Enero de 1858.—El general don César Díaz, con casi 400 hombres, capitula, entregándose al comandante de las fuerzas del Gobierno, general don Anacleto Medina. Éste, cumpliendo la ley marcial demasiado á prisa, llegado cerca del Durazno, el 1.º de Febrero siguiente á las 7 1/2 de la tarde, manda fusilar á los generales don César Díaz y don Manuel

Freire, á los coroneles don Francisco Tajes y don Eulalio Martínez, y al sargento mayor don Aurelio Freire. Al día siguiente tienen la misma suerte los tenientes coroneles don Isidro Caballero, don Juan J. Pollo, don Benigno Islas y don Ramón Islas, y los sargentos mayores don Esteban Sacarello y don Manuel Espinosa. El día 3 son quintados Victoriano Pérez, Bautista Bonino, Santiago Nelli, Domingo Lustrini, Pedro Nesci, Juan Patrigaut y Regino Méndez. En el tránsito hasta la capital son ejecutados otros ; en total 12 jefes, 9 oficiales y 31 soldados, sacrificados antes que llegara al general Medina el chasque con el indulto concedido por el Presidente don Gabriel A. Pereira á todos los prisioneros. Por decreto del 17 de Marzo de 1865, el gobierno del general Flores declaró *Mártires de la Libertad de la Patria* á las víctimas de Quinteros. — (Río NEGRO.)

103 — Rabón — 3 de Octubre de 1818. — Por encargo de Artigas, intenta Rivera sorprender 3,800 portugueses mandados por Mena Barreto, en la barra del Rabón. Descubierto por el enemigo, Rivera cumple una difícil retirada de 10 horas, dirigida con tanto acierto, que logra poner en salvo á sus 1,700 soldados, á pesar de la persecución de la óptima caballería portuguesa. — (PAYSANDÚ.)

104 — Rendición de Rivera — 2 de Marzo de 1820. — Vencido Artigas en Tacuarembó, sólo Rivera quedaba en armas contra el invasor portugués. Lecor pacta un armisticio con el caudillo oriental; pero, poco después, se presenta á Rivera en el campamento de los Tres Árboles el coronel Carneiro con sus fuerzas, y le impone reconocer la autoridad del rey de Portugal, ó aceptar al momento la batalla. En la imposibilidad de luchar, Rivera se rinde, protestando contra la deslealtad del portugués. — (Río NEGRO.)

105 — Rincón de las Gallinas ó de Haedo — 24 de Septiembre de 1825. — El audaz caudillo don F. Rivera entra con 250 jinetes en el Rincón de Haedo para arrebatar la caballada de los portugueses, que estaban con el general Abreu en Mercedes. Mientras, logrado su intento, se dispone á salir, entran en el Rincón cerca de 800 portugueses al mando de los coroneles don Gerónimo Gomes de Jardim y Mena Barreto. Rivera sorprende y derrota á esos jefes, tomando prisionero al segundo, y sale victorioso con muchos prisioneros, gran cantidad de armamento y 7 ú 8,000 caballos del enemigo. — (Río Negro.)

106 — Rosario — *(Colla)* — 20 de Abril de 1861. — Don Venancio Benavídez con 500 patriotas ocupa la población del Colla, guarnecida por 130 españoles mandados por el alférez don Pablo Martínez y el alcalde del pueblo, que se rinden á discreción sin combatir, reconociendo inútil la resistencia.

— 20 de Junio de 1846. — Rendición de la villa del Rosario, defendida por don Ramón Larravide, á las fuerzas de Rivera, mandadas por el coronel don José María Solsona, que toma prisionera á la guarnición después de una hora de reñido combate. — (Colonia.)

107 — Salto — 17 de Agosto de 1836. — El coronel riverista Raña ataca el pueblo el 9 con 350 hombres, y es rechazado por la guardia nacional encabezada por don Vicente Nubel; pero el 17 logra apoderarse de él, retirándose á Concordia los defensores, protegidos por el mayor don Lucas Píriz.

— 7 de Mayo de 1843. — Combate entre las fuerzas gubernistas de Báez y las oribistas de Golfarini cerca del pueblo.

— 12 de Junio de 1844. — El coronel Báez se apodera de la villa haciendo prisionera á la guarnición y tomándole todo el armamento.

—6 de Octubre de 1845. —El coronel Garibaldi ocupa la villa, de la cual se había retirado el coronel don Manuel Lavalleja con la guarnición.

—6 de Diciembre de 1845. —El general Urquiza ataca la villa defendida por Garibaldi, y es rechazado.

—9 de Enero de 1847. —La villa es ocupada al amanecer por las fuerzas oribistas del general don Servando Gómez. En la heroica resistencia, que dura hasta la noche del 8, pierde la vida el jefe de la plaza, coronel don Luciano Blanco.

—28 de Noviembre de 1864. —El coronel don José Palomeque evacúa con su escasa tropa la plaza, entregándola á las numerasas fuerzas revolucionarias de Flores y evitando de este modo un estéril derramamiento de sangre.

—8 de Junio de 1897. —Las fuerzas revolucionarias del general Saravia se presentan frente á la ciudad defendida por el coronel don Teófilo Córdoba con 1,500 hombres, sitiándola parte de ellas por diez días, mientras las demás se tirotean en el Hervidero con la cañonera *Suárez* y el *Francisco Vidiella*, y protegen el pasaje de la expedición Imas.

108—San Antonio—8 de Febrero de 1846. —La Legión italiana, al mando de su jefe Garibaldi, salida del Salto con 100 hombres de la caballería de Báez para proteger la marcha de don Anacleto Medina, que recientemente había pasado á la República Oriental por el paso de las Vacas con sólo 220 hombres, es sorprendida en la *Tapera de don Venancio*, cerca del arroyo de San Antonio, por una división de 1,200 soldados al mando de don Servando Gómez. Los 200 garibaldinos, á quienes se habían reunido 20 tiradores de Báez, resisten heroicamente hasta el anochecer, perdiendo 30 hombres muertos y 32 heridos, y ocasionando 200 bajas al enemigo. Se retiran después en perfecto orden al Salto, costeando el Uruguay y llevándose todos los heridos. El gobierno de la Defensa decreta honores especiales á la heroica Legión garibaldina por su hazaña de este día.—(SALTO.)

109 — San Carlos — 6 de Noviembre de 1806. — Los ingleses, dueños de Maldonado, hacen una salida hasta San Carlos en busca de víveres, y se traban cerca del pueblo en combate con fuerzas populares llegadas de Montevideo al mando del teniente de fragata don Francisco Abreu, quien muere en la refriega.

—28 de Abril de 1811.—Un grupo de patriotas al mando de don Manuel Francisco Artigas, hermano del Libertador, se apodera del pueblo sin encontrar resistencia.

—16 de Enero de 1846.—La villa estaba ocupada desde el día 8 por el coronel oribista don Antonio Acuña, quien había abandonado á Maldonado, bloqueada por el bergantín inglés *Racer* y la corbeta *Águila*. El coronel don Venancio Flores, llegado el día anterior á Maldonado, ataca á San Carlos; pero al aproximarse las fuerzas de Barrios, abandona la empresa.—(*Véase el núm. 88*). — (MALDONADO.)

110 — San Fructuoso — (*Tacuarembó.*) — 31 de Julio de 1863. — El comandante revolucionario don Gregorio Suárez ocupa la villa.

—31 de Julio de 1864.—El comandante gubernista don Zacarías Orrego ataca el pueblo y lo toma.

111 — San Gabriel — 8 de Febrero de 1827. — Don Pablo Zufriategui, con pocas fuerzas republicanas, se apodera de la villa, apresando mucho armamento de los imperiales.

112 — San José de Mayo — 1807. — El pueblo es ocupado
por los ingleses, que lo evacúan en los primeros días
del mes de Septiembre siguiente.

—20 de Abril de 1811. — Don Isidro Casado, que defendía el pueblo con pocos españoles, tiene que rendirse á
don Manuel Artigas y don Baltasar Vargas. Al día siguiente el teniente coronel Bustamante, batido por estos patriotas en el Paso del Rey, se acantona en el pueblo y se prepara á resistir al sitio empezado en seguida.

—25 de Abril de 1811. — Los patriotas, bajo el mando superior de Benavídez, toman por asalto el pueblo, defendido tenazmente por Bustamante. El capitán don Manuel Artigas queda herido de bala en un pie, muriendo
á consecuencia de ello.

—24 de Octubre de 1811. — Llegada á los patriotas, que
se habían retirado aquí, la noticia del armisticio estipulado entre la Junta de Buenos Aires y el Virrey Elío
(*véanse las fechas 12 y 20 de Octubre de 1811, en el
núm. 76*), empieza el *Éxodo de los orientales*. Rondeau
había salido ya para Buenos Aires con los argentinos.

—2 de Mayo de 1825. — Lavalleja, al frente de 900 hombres, se apodera de la villa.

—17 de Julio de 1826. — Se dispone la traslación del Gobierno Provisorio á Canelones, que residía en San
José desde Diciembre del año anterior, ardiendo la
guerra de independencia contra el Brasil.

—24 de Noviembre de 1828. — Bajo la presidencia de don
Silvestre Blanco, se establece en este pueblo la Asamblea Constituyente del Estado Oriental.

—1.º de Diciembre de 1828. — La Asamblea Nacional, por
gran mayoría de votos, elige al general don José Rondeau Capitán General y Gobernador Provisorio del Es-

tado Oriental; y como el elegido se hallaba á la sazón en Buenos Aires, jura y gobierna por él hasta el 22 su sustituto don Joaquín Suárez. La misma Asamblea decreta al día siguiente su traslación á Canelones.

113 — San Miguel — 20 de Abril de 1763. — El fuerte, ocupado por los portugueses, se rinde sin hacer resistencia al capitán español don Alonso Serrato, mandado por Ceballos á tomarlo después de la ocupación de la fortaleza de Santa Teresa. — (ROCHA.)

114 — San Salvador — *(Dolores)* — 21 de Abril de 1825. — Sale del pueblo, para contrarrestar la marcha de los Treinta y Tres, el coronel don Julián Laguna con 80 brasileros, que son dispersados por los patriotas después de un ligero combate en la costa de San Salvador.

— 10 de Junio de 1846. — Batido el coronel Montoro en las puntas del Arenal Grande la noche anterior, Rivera ocupa el pueblo. — (SORIANO.)

115 — San Servando — 10 de Junio de 1834. — El coronel don Manuel Lavalleja invade la República desde el Brasil, y ataca el pueblo, defendido por el coronel don Servando Gómez, quien, agotadas las municiones, se rinde. En posesión del armamento y de la caja del enemigo, Lavalleja se retira de nuevo al Brasil, dejando en libertad á los prisioneros. (Poco después se abandonó á *San Servando*, yendo sus habitantes á poblar á *Arredondo*, llamado después *Artigas*. — (CERRO LARGO.)

116 — Santa Teresa — 19 de Abril de 1763. — Decidido á resolver con las armas la cuestión de límites con Portugal, don Pedro de Ceballos se pone en marcha hacia Río Grande, y llega el 17 á la fortaleza de Santa Teresa, defendida por 1,500 soldados con 13 cañones bajo el mando del coronel don Tomás Luis Osorio: el mismo que el 15 de Octubre del año anterior había empezado

la construcción de esta fortaleza, colocando solemne-
mente su piedra fundamental sólo el 4 de Diciembre
siguiente. El 18, Ceballos lleva el ataque al fuerte, que
se rinde el 19, habiéndose desertado en la noche anterior 1,200 hombres, que son poco después alcanzados
y dispersados ó tomados prisioneros por los españoles.

—5 de Septiembre de 1811.—El mariscal portugués Mar-
ques, con 300 hombres, ocupa la fortaleza sin combate,
habiéndola desalojado á su aproximación los patriotas
que la guarnecían.

—Agosto de 1816.—Antes de empezarse la invasión portuguesa, la vanguardia de Lecor se apodera de la fortaleza. En Octubre, pasados los fríos, los diferentes
cuerpos de ejército de los portugueses invaden por el
Norte, por el Este y por el Sur.

—31 de Diciembre de 1825.—El coronel don Leonardo
Olivera, con fuerzas patriotas, ocupa la fortaleza, aban-
donada durante la noche por las tropas brasileras que
la guarnecían. — (ROCHA.)

117—Sarandí—12 de Octubre de 1825.—El ejército libertador al mando de Lavalleja, derrota á más de 2,000
brasileros al mando del coronel Bentos Manuel Ribeiro. Este triunfo es muy festejado en Buenos Aires,
cuyo gobierno se decide entonces á secundar los es-
fuerzos de los heroicos orientales, y declara la guerra
al imperio del Brasil. —(FLORIDA.)

118—Sauce—8 de Diciembre de 1816.—Tres escuadrones
portugueses, y entre ellos uno formado por unos 100
criollos al mando del capitán español don Juan Mendoza, son derrotados por fuerzas de la división de Rivera al mando del comandante don Venancio Gutiérrez, muriendo en la refriega Mendoza con 150 de su
bando, y quedando prisioneros cinco oficiales portugueses. — (MALDONADO.)

119 — Sauce — 25 de Diciembre de 1870. — Batalla entre las tropas revolucionarias del general don Timoteo Aparicio y el ejército del Gobierno, mandado por el general don Gregorio Suárez. — (CANELONES.)

120 — Sauce de Lema — 17 de Julio de 1820. — En lucha Artigas contra don Francisco Ramírez, quien se había rebelado contra la autoridad de su antiguo jefe y protector, es por él derrotado en este lugar y día, viéndose obligado á buscar refugio en las Misiones. Vencedor en las Guachas el 13 de Junio, había sido ya derrotado el 24 en la Bajada del Paraná. — *(Véanse los números 125 y 138.)* — (REPÚBLICA ARGENTINA.)

121 — Sepultura — 11 de Agosto de 1897. — Combate entre las fuerzas gubernistas del coronel Lecueder, mandadas por el mayor don Antonio Ayala, y las revolucionarias de Villanueva, don Julio C. Barrios y don Francisco Mena. — (ARTIGAS.)

122 — Severino — 12 de Septiembre de 1870. — En el paso de Severino del Santa Lucía Chico, los revolucionarios mandados por el general don Timoteo Aparicio vencen á las fuerzas del Gobierno mandadas por el general don Gregorio Suárez. — (FLORIDA.)

123 — Solís Grande — 18 de Junio de 1843. — Mil oribistas mandados por el coronel argentino don José María Flores, son batidos por el general Rivera. — (CANELONES.)

124 — Soriano — 28 de Febrero de 1811. — Los patriotas sublevados en Asencio, ya dueños de Mercedes y habiendo elegido por jefe al teniente Fernández, marchan á las órdenes de Pedro J. Viera á Soriano, cuyo Cabildo entrega el pueblo sin resistencia.

— 4 de Abril de 1811. — El marino español don Juan A. Michelena acude con siete embarcaciones á Santo Domingo de Soriano para batir á los patriotas, los cuales, en número de 200, mandados por el mayor argentino don Miguel E. Soler, sostienen con él un reñido combate, y obligan á reembarcarse á los 200 españoles que habían bajado á tierra con dos piezas de artillería.

—24 de Abril de 1825. —Llega á la villa el bravo jefe de los Treinta y Tres con una partida de más de cien patriotas y lanza al pueblo oriental una patriótica proclama.

—26 de Enero de 1847.—El pueblo es ocupado sin resistencia por tropas del general don Ignacio Oribe mandadas por Britos.

125—**Tacuarembó**—22 de Enero de 1820.—Artigas libra la última batalla contra los portugueses. Las tropas, confiadas por él al mando inmediato de los coroneles Latorre y Laguna, resisten por seis horas á fuerzas portuguesas muy superiores en número y armamento, mandadas por el conde de la Figueira. Más de 900 valientes orientales quedan en el campo, y el enemigo también paga cara su victoria. Artigas poco después pasa el Uruguay, para no volver más á pisar el suelo de la patria. Vencido varias veces por Ramírez en Entre Ríos, el 23 de Septiembre de este año pasa el Paraná en la Candelaria y pide hospitalidad al Paraguay, donde muere á los 86 años de edad. — *(Véanse: fecha 19 de Junio de 1764, en el núm. 76, y los números 120 y 138.)* —(Tacuarembó.)

126—**Tarariras**—21 de Agosto de 1897.—Combate entre las tropas gubernistas al mando del general don Manuel Benavente, y las revolucionarias mandadas por el general don Aparicio Saravia y su jefe de estado mayor, coronel don Diego Lamas.—(Cerro Largo.)

127—**Treinta y Tres**—17 de Febrero de 1864.—Toma de la villa por fuerzas revolucionarias del general don Venancio Flores.

128 — **Tres Árboles** — 17 de Marzo de 1897. — Batalla entre el ejército revolucionario, mandado por el coronel don Diego Lamas (Jefe del Estado Mayor), y el ejército del Gobierno, mandado por el general Villar.

Es éste el primer encuentro de importancia después de estallada la revolución del partido nacionalista contra el gobierno del señor Idiarte Borda. No obstante el valor demostrado por el ejército del general Villar, los revolucionarios obtienen completa victoria. — (Río Negro.)

129 — **Trinidad** *(Porongos)* — 18 de Mayo de 1808. — Nace don Venancio Flores, una de las principales personalidades de la República.

— Agosto de 1864. — La villa es ocupada por fuerzas revolucionarias del general don Venancio Flores. — (Flores.)

130 — **Tupambaé** — 18 de Agosto de 1832. — Combate entre las tropas gubernistas, mandadas por el mismo Presidente Rivera, y las fuerzas revolucionarias de Lavalleja. — (Cerro Largo.)

131 — **Uruguayana** — 17 de Septiembre de 1865. — Rendición de la villa, defendida por 7,000 paraguayos al mando de Estigarribia, al ejército aliado (brasilero, argentino y oriental) mandado por el general argentino don Bartolomé Mitre por delegación del emperador del Brasil, don Pedro II. — (Brasil.)

132 — **Víboras** — 27 de Mayo de 1846. — El general Rivera se apodera del pueblo, ya ocupado por el coronel oribista Montoro, quien se retira á San Salvador. — (Colonia.)

133 — **Yacaré Cururú** — 15 de Junio de 1832. — Para vengarse de la horrenda matanza que de ellos hizo en el Queguay el general don Fructuoso Rivera, los indios charrúas toman en una emboscada al hermano de éste, coronel don Bernabé Rivera, que los perseguía después de haberlos derrotado en las puntas del Yacaré Cururú; y después de haberlo llevado á los bosques del Cuareim, lo hacen morir en medio de las más crueles torturas. — (Artigas.)

134 — Yatay — 17 de Agosto de 1865. — La división oriental (2,000 hombres), que bajo las órdenes del general don Venancio Flores formaba parte del ejército aliado en la guerra del Paraguay, engrosada por algunos batallones argentinos, derrota á 3,000 paraguayos, dos tercios de los cuales quedan en el campo de batalla, y se entrega el resto prisionero con su jefe, el mayor Duarte. — (R. Argentina.)

135 — Yerbal — 26 de Mayo de 1827. — Retirado el ejército republicano á los cuarteles de invierno en Cerro Largo, había sido destinado á operar en las márgenes del Yaguarón el general Lavalle. Éste derrota á una división de 600 brasileros mandados por Bentos Gonçalves y Jucas Teodoro, y queda herido en el combate. — (Brasil.)

136 — Yí — 21 de Noviembre de 1837. — Combate entre las tropas legales, mandadas por el mismo Presidente don Manuel Oribe, y las revolucionarias de Rivera, quien se ve obligado á replegarse sobre Mercedes en derrota. (Durazno.)

137 — Yacutujá — 22 de Octubre de 1837. — El ejército del general don Manuel Oribe, Presidente de la República, es batido por las fuerzas revolucionarias del general Rivera. — (Artigas.)

138 — Yuquerí — 22 de Julio de 1820. — Artigas en lucha con Ramírez, en Entre Ríos, sufre una nueva derrota cinco días después de la del Sauce de Lema. Es también derrotado en Mocoretá el 24 de Julio, en las Tunas el 27 y en los Árboles el 29. — *(Véanse los números 120 y 125.)* — (R. ARGENTINA.)

139 — **Zanja reyuna** — 1817. — Hostilizados continuamente por las guerrillas artiguistas, que al mando de Rivera sitiaban á Montevideo, los portugueses que ocupaban esta plaza, por orden de su jefe Lecor, construyen una zanja con fortines de trecho en trecho, desde la barra del río Santa Lucía hasta el Buceo. Los patriotas la llaman por escarnio *Zanja reyuna.*

FIN

ÍNDICE

FE DE ERRATAS

En la página 19, línea 12, despúes de *3,400*, agréguese: *al mando de don Andrés Latorre.*

En la página 38, línea 8, donde dice *había empezado* léase: *había sido empezado.*

OBRAS DEL MISMO AUTOR

La Disperazione di Gino. — Milano, 1890.

Esempî, regole ed esercizî di Lingua Italiana (ad uso delle Scuole Tecniche, Ginnasiali e Normali). — Torino, 1891.

Sulla breccia. — Questioni di Educazione. — Torino, 1891.

Peppino in prima classe. — Libro di lettura per le Scuole Elementari (in due volumetti). — Torino, 1892.

Peppino in seconda classe. — Íd. — Torino, 1892.